BIBLIOTECA ERA

JOSÉ EMILIO PACHECO

■

El viento distante

JOSÉ EMILIO PACHECO

El viento distante

EDICIONES ERA

Primera edición: 1963
Segunda edición aumentada, 1969
Decimosegunda reimpresión: 1997
TERCERA EDICIÓN [NUEVA VERSIÓN], 2000
Tercera reimpresión: 2005
ISBN: 968.411.472.9
DR © 2000, Ediciones Era, S. A. de C. V.
Calle del Trabajo 31, 14269 México, D. F.
Impreso y hecho en México
Printed and made in Mexico

www.edicionesera.com.mx

A Carlos Fuentes

A Elena Poniatowska

Labyrinthe, la vie, labyrinthe la mort
Labyrinthe sans fin, dit le Maître de Ho.

Henri Michaux

El parque hondo

A Salomón Laiter

Todas las tardes, cuando salía de la escuela, Arturo miraba la gran extensión verde situada abajo de la calle. Pero esa vez fue hasta el estanque de aguas inmóviles. Al ver que oscurecía entre los árboles, tuvo miedo y se alejó casi huyendo del parque hondo.

—Si no te gusta no lo comas. Pero te prohíbo que en la noche saques cosas del refrigerador—. La tía Florencia retiró el plato de albóndigas con arroz. Arturo dio algunos sorbos a la leche tibia y juntó las migajas que salpicaban el mantel.

Iba a cumplir nueve años. El mundo se reducía a Florencia, la casa de un piso, la gata que no se dejaba tocar, la primaria "Juan A. Mateos" y Rafael, su condiscípulo, su amigo, el que lo acompañaba en las funciones de cine y la pesca furtiva en el estanque del parque hondo.

Meses atrás Arturo llevó a casa un sapito envuelto en un pañuelo húmedo. Florencia le pegó en las manos y arrojó el sapo al calentador en que ardían leños y periódicos viejos. Después Arturo compró un ratón blanco. Florencia no le dijo nada. Se limitó a sonreír y a regocijarse cuando la gata saltó sobre él y lo mató sin que Arturo pudiera arrebátarselo.

Volvió a la sala, tomó el cuaderno de aritmética y se puso a resolver los quebrados. Al terminar dejó su lápiz junto al retrato del hombre que cada mes lo visitaba y le daba algo de dinero. Arturo nunca quiso llamarlo "papá" como a él le hubiera gustado.

Una noche se enteró de todo. Estaba a punto de dormirse cuando llegó hasta él la voz de su tía. Florencia, en la sala, echaba la baraja ante una de sus clientas.

13

–Hace siete años que ella no lo ve. Desde luego, lo intenta pero no la dejamos. Arturo cree que su mamá se fue al cielo y que su papá lo visita sólo de cuando en cuando porque es piloto aviador y siempre anda de viaje. A los niños no se les puede contar la verdad. Ricardo tiene una nueva familia y lo anterior, gracias a Dios, quedó borrado. El chico no es mayor problema. Vive conmigo desde que su madre lo abandonó y, ya ve usted, lo estoy educando como formé a mi hermano. Lo terrible, señora, es que el dinero ya no alcanza para nada. No puedo exigirle más a Ricardo porque él tiene muchos gastos con su esposa y sus niñas. Me veo obligada a buscar por todas partes. Desde los quince años he trabajado de sol a sol. Ésa fue mi cruz. Primero por mi hermano y ahora por mi sobrino. Para mí no hubo novios ni fiestas ni diversiones. No me quejo. Nuestro Señor sabe lo que hace. Mi única compañía es mi gatita, porque Arturo es un ingrato y ni siquiera me dirige la palabra... Ay, señora, perdone. Usted con sus problemas y yo dándole lata con los míos. No me haga caso, por favor... Baraje siete veces. Pártame en dos las cartas y luego tóquelas.

Florencia entró en el cuarto de Arturo. Llevaba en brazos a la gata: –¿Dijiste ya tus oraciones? Híncate. Anda, vamos los dos.

Se arrodillaron al lado de la cama. La gata saltó y se acomodó entre las almohadas. Al terminar Florencia la recobró, besó al niño en la frente y salió de la habitación. Arturo temió que los pelos grises, brillantes en la blancura de la sábana, entraran en su boca y se abrieran camino hasta los pulmones. *Es horrible la gata. No sé cómo la quiere tía Florencia.*

–¿La envenenaste? –preguntó Rafael.

–No, cómo crees. Sola se puso mal. No quiere comer y chilla todo el tiempo. La vieja cree que los vecinos de enfrente le dieron matarratas.

Sentados en el parque miraban las frondas agitadas por el viento. Con un lápiz sin punta Arturo trazaba signos en la tierra.

–Mira, un trébol de cuatro hojas –gritó Rafael.

–No: tiene cinco. Fíjate bien.

–Lástima, parecía de buena suerte.

–Oye, completé mi álbum de toreros. Ven a la casa para que te lo enseñe.

–Se enoja tu tía.

–Ni se da cuenta: está muy triste por lo de la gata.

Desde la esquina vieron acercarse a Florencia. No contestó el saludo de Rafael. Miró de frente a Arturo y dijo: –La gatita ya no tiene remedio. No quiero que siga sufriendo. Tienes que llevarla al veterinario. Aquí está la dirección del consultorio. Queda muy cerca. Di que vas de mi parte y entrega al animalito junto con estos billetes. No veas cómo la inyectan.

–¿Qué hago con el cadáver?

–Ellos se encargarán de incinerarlo.

Entraron en la casa. La gata estaba inmóvil en el sofá. Arturo comprobó que aún respiraba. Florencia la besó, la acarició y la cubrió de lágrimas. Incómoda ante la presencia de Rafael, se sintió obligada a explicar: –No saben lo que siento. Me ha acompañado por más de diez años. No volverá a haber otra igual.

La acomodó entre algodones en una bolsa de henequén. Salieron a la calle. Florencia se quedó a las puertas de la casa y siguió llorando mientras los niños se perdían de vista.

–¿Cuánto traes? –preguntó Rafael.

Arturo le mostró los billetes.

–¿Todo eso te dio? ¿Tánto cobran por matar a una gata?

–Es la tarifa del veterinario.

–¿Sabes qué se me ocurre?: dejarla en el parque y quedarnos con el dinero.

–Jamás. ¿Te imaginas si revive y si vuelve? Mi tía me mata, de verdad me asesina. La gata ha estado perdida muchas veces y siempre regresa. A lo mejor lo hace de nuevo.

–Pero si ya se está muriendo. ¿No la ves? Haremos una obra de caridad al rematarla.

–Me da miedo. Si mi tía se da cuenta...

–No lo sabrá nunca. Imagínate lo que podemos hacer con ese dinero: ir al cine, a remar en Chapultepec, comprar toda clase de dulces y de refrescos. En fin...

Arturo palpó el cuerpo bajo la bolsa de henequén. *¿Estará muerta? Es mala. Florencia la quiere más que a mí.*

–No, no me atrevo. Te juro que me da lástima la gata.

–De todos modos se va a morir, ¿no? Deja la bolsa enmedio de la calle. Con tantos coches ni quién se entere.

–Pero sufriría mucho. Un día me tocó ver a un perro...

–Tienes razón. Busquemos otra forma.

–¿Dársela a alguien?

–¿Estás loco?... Ya sé: la echamos al agua.

–No seas tonto: los gatos saben nadar.

–Mira, vamos al parque. A estas horas no hay nadie.

En el parque desierto el olor del estanque se difundía entre los árboles. Rafael saltó para alcanzar las ramas bajas y luego imitó una cabalgata. Dijo: –Oye, ¿por qué no la ahorcamos?

–Sufriría mucho –repitió Arturo. La gata se revolvió en el interior de su prisión. *No debo tener miedo. Mejor acabar con ella de una vez.*

–Cuidado; no abras la bolsa: puede escaparse.

–No. ¿Te imaginas? Mi tía es capaz de todo si sabe que la desobedecimos y nos robamos el dinero.

Arturo se estremeció de frío y chasqueó los dedos. La noche estaba a punto de caer. Rafael descubrió un trozo de concreto perdido entre las hierbas, parte de algún proyecto abandonado. Se acercó a él y logró levantarlo.

—Ya estuvo: sosténme a la gata y yo le aviento esta piedrota.

—¿No hay otro remedio?

—Haz lo que te digo.

Arturo sacó a la gata inerte y la alzó por el vientre.

—Apúrate. Esto pesa muchísimo. Tengo que acertarle en la cabeza.

—Ahora. No me vayas a dar.

Rafael mantuvo en vilo el trozo de concreto: —Cuento hasta tres y se lo tiro. Ahí va: uno, dos...

La gata intuyó el peligro y volvió a ser flexible. Se arrancó de las manos de Arturo, saltó, cayó ilesa varios metros adelante y corrió a perderse en un matorral.

—No la agarraste bien. Qué bruto eres.

—No pude. Se me zafó quién sabe cómo.

Arturo quedó inmóvil. Un minuto después urgió: —Está viva. Hay que buscarla. Regresará. Mi tía Florencia nos va a asesinar.

—Ahora sí la fregamos. Llámala a ver si viene.

—Sí cómo no. Los gatos son inteligentísimos. Ya la oigo diciéndonos: "Aquí estoy a sus órdenes. Mátenme por favor y gástense el dinero". Además a mí nunca me obedeció.

Durante mucho tiempo buscaron, llamaron, abrieron la maleza, observaron las ramas de los árboles, rastrearon cada sitio del parque entre el rumor de grillos, ranas, pájaros: todos los seres de la noche que ocultaba a la gata. Cansado y temeroso, Arturo se despidió de Rafael. Regresó con el terror de hallarla en el sofá. Pero en la sala nada más estaba Florencia. Jugaba con las cartas y no había dejado de llorar.

—Perdón por la tardanza. Había mucha gente en el consultorio y tuve que esperar el último turno.

—¿La entregaste en manos del doctor?

—Sí. Me dijo que no habría ningún problema.

—Te veo muy mal... Lo entiendo, claro. Debí haber ido yo misma... ¿Quieres merendar?

–No, gracias. Voy a acostarme.

–No sabes cómo extraño a la gatita. Mañana a primera hora iré por sus cenizas. Mientras yo viva me acompañará en esta casa.

El alba lo encontró insomne entre las sábanas revueltas. *No quiero imaginarme qué va a pasar cuando Florencia se entere de que no llegamos al consultorio. No creerá nunca que la gata escapó. Dirá: "Tú siempre la odiaste. Fue tu venganza. No te perdonaré nunca. Ese niño es malo. Él te aconsejó. Ustedes la mataron para hacerme daño y robarme el dinero. Maldito, hijo de tu madre tenías que ser. Ahora verás quién soy yo. Acabo de hablar con mi hermano y te vas derechito al reformatorio, a pudrirte con ladrones y asesinos de tu calaña". No, él me defenderá. O quién sabe: nunca he sido cariñoso ni le agradezco sus regalos. Por culpa de Rafael estoy en un lío del que nadie me sacará.*

Ahora su única esperanza era el regreso de la gata. En el ruido más leve creía escuchar sus pasos. *Mira, tía, te juro por Dios Santo que no nos atrevimos a llevarla para que la mataran. Revivió y por eso la dejamos libre en el parque. Comprende, tía Florencia, yo también quiero mucho a la gatita.*

No pudo más. Se levantó, sacó los billetes que había ocultado en el clóset, los rompió y los echó por la ventana. El viento dispersó los trozos de papel. *Tal vez lo mejor será huir y no volver nunca. Pero ¿adónde iré si no sé hacer nada y ni siquiera conozco bien la ciudad?*

Florencia escuchó ruidos y abrió los ojos. En vano buscó a su lado el cuerpo que pulían sus caricias. Lentas, inútiles caricias con que Florencia se gastaba, se iba olvidando de los días.

Tarde de agosto

■

A la memoria de Manuel Michel

Nunca vas a olvidar esa tarde de agosto. Tenías catorce años, ibas a terminar la secundaria. No recordabas a tu padre, muerto al poco tiempo de que nacieras. Tu madre trabajaba en una agencia de viajes. Todos los días, de lunes a viernes, te despertaba a las seis y media. Quedaba atrás un sueño de combates a la orilla del mar, ataques a los bastiones de la selva, desembarcos en tierras enemigas. Y entrabas en el día en que era necesario vivir, crecer, abandonar la infancia. Por la noche miraban la televisión sin hablarse. Luego te encerrabas a leer las novelas de una serie española, la Colección Bazooka, relatos de la Segunda Guerra Mundial que idealizaban las batallas y te permitían entrar en el mundo heroico que te gustaría haber vivido.

El trabajo de tu madre te obligaba a comer en casa de su hermano. Era hosco, no te manifestaba ningún afecto y cada mes exigía el pago puntual de tus alimentos. Pero todo lo compensaba la presencia de Julia, tu inalcanzable prima hermana. Julia estudiaba ciencias químicas, era la única que te daba un lugar en el mundo, no por amor, como creíste entonces, sino por la compasión que despertaba el intruso, el huérfano, el sin derecho a nada.

Julia te ayudaba en las tareas, te dejaba escuchar sus discos, esa música que hoy no puedes oír sin recordarla. Una noche te llevó al cine, después te presentó a su novio. Desde entonces odiaste a Pedro. Compañero de Julia en la universidad, se vestía bien, hablaba de igual a igual con tu familia. Le tenías miedo, estabas seguro de que a solas con Julia se burlaba de ti y de tus novelitas de guerra que llevabas a todas partes. Le molestaba que le dieras lástima a tu prima, te consideraba un testigo, un estorbo, desde luego nunca un rival.

Julia cumplió veinte años esa tarde de agosto. Al terminar el almuerzo, Pedro le preguntó si quería pasear en su coche por los alrededores de la ciudad. Ve con ellos, ordenó tu tío. Sumido en el asiento posterior te deslumbró la luz del sol y te calcinaron los celos. Julia reclinaba la cabeza en el hombro de Pedro, Pedro conducía con una mano para abrazar a Julia, una canción de entonces trepidaba en la radio, caía la tarde en la ciudad de piedra y polvo. Viste perderse en la ventanilla las últimas casas y los cuarteles y los cementerios. Después (Julia besaba a Pedro, tú no existías hundido en el asiento posterior) el bosque, la montaña, los pinos desgarrados por la luz llegaron a tus ojos como si los cubrieran para impedir el llanto.

Al fin Pedro detuvo el Ford frente a un convento en ruinas. Bajaron y anduvieron por galerías llenas de musgos y de ecos. Se asomaron a la escalinata de un subterráneo oscuro. Hablaron, susurraron, se escucharon en las paredes de una capilla en que las piedras trasmitían las voces de una esquina a otra. Miraste el jardín, el bosque húmedo, la vegetación de alta montaña. Te sentiste ya no el huérfano, el intruso, el primo pobre que iba mal en la escuela y vivía en un edificio horrible de la colonia Escandón, sino un héroe de Dunkerque, Narvik, Tobruk, Midway, Stalingrado, El Alamein, el desembarco en Normandía, Varsovia, Monte Cassino, Las Ardenas. Un capitán del Afrika Korps, un oficial de la caballería polaca en una carga heroica y suicida contra los tanques hitlerianos. Rommel, Montgomery, von Rundstedt, Zhukov. No pensabas en buenos y malos, en víctimas y verdugos. Para ti el único criterio era el valor ante el peligro y la victoria contra el enemigo. En ese instante eras el protagonista de la Colección Bazooka, el combatiente capaz de toda acción de guerra porque una mujer celebrará su hazaña y su victoria resonará para siempre.

La tristeza cedió lugar al júbilo. Corriste y libraste de un salto los matorrales y los setos mientras Pedro besaba a Julia y la tomaba del talle. Bajaron hasta un lugar en que el bosque parecía nacer junto a un arroyo de aguas heladas y un letrero prohibía cortar flores y molestar a los animales. Entonces Julia descubrió una ardilla en la punta de un pino y dijo: Me gustaría llevármela a la casa. Las ardillas no se dejan atrapar, contestó Pedro, y si alguien lo intentara hay muchos guardabosques para castigarlo. Se te ocurrió decir: yo la agarro. Y te subiste al árbol antes de que Julia pudiera decir no.

Tus dedos lastimados por la corteza se deslizaban en la resina. Entonces la ardilla ascendió aún más alto. La seguiste hasta poner los pies en una rama. Miraste hacia abajo y viste acercarse al guardabosques y a Pedro que, en vez de ahuyentarlo en alguna forma, trababa conversación con él y a Julia tratando de no mirarte y sin embargo viéndote. Pedro no te delató y el guardabosques no alzó los ojos, entretenido por la charla. Pedro alargaba el diálogo por todos los medios a su alcance. Quería torturarte sin moverse del suelo. Después presentaría todo como una broma pesada y él y Julia iban a reírse de ti. Era un medio infalible para destruir tu victoria y prolongar tu humillación.

Porque ya habían pasado diez minutos. La rama comenzaba a ceder. Sentiste miedo de caerte y morir o, lo peor de todo, de perder ante Julia. Si bajabas o si pedías auxilio el guardabosques iba a llevarte preso. Y la conversación seguía y la ardilla primero te desafiaba a unos centímetros de ti y luego bajaba y corría a perderse en el bosque, mientras Julia lloraba lejos de Pedro, del guardabosques y la ardilla, pero de ti más lejos, imposible.

Al fin el guardabosques se despidió, Pedro le dejó en la mano algunos billetes, y pudiste bajar pálido, torpe, humillado, con lágrimas que Julia nunca debió haber visto en tus ojos porque demostraban que eras el huérfano y el intruso, no el héroe de Iwo Jima y Monte Cassino. La risa de Pedro se detuvo cuando Julia le reclamó muy seria: Cómo pudiste haber hecho eso. Eres un imbécil. Te aborrezco.

Subieron otra vez al automóvil. Julia no se dejó abrazar por Pedro. Nadie habló una palabra. Ya era de noche cuando entraron en la ciudad. Bajaste en la primera esquina que te pareció conocida. Caminaste sin rumbo algunas horas y al volver a casa le dijiste a tu madre lo que ocurrió en el bosque. Lloraste y quemaste toda la colección Bazooka y no olvidaste nunca esa tarde de agosto. Esa tarde, la última en que tú viste a Julia.

El viento distante

A Edith Negrín

La noche es densa. Sólo hay silencio en la feria ambulante. En un extremo de la barraca el hombre cubierto de sudor fuma, se mira al espejo, ve el humo al fondo del cristal. Se apaga la luz. El aire parece detenido. El hombre va hasta el acuario, enciende un fósforo, lo deja arder y mira la tortuga que yace bajo el agua. Piensa en el tiempo que los separa y en los días que se llevó un viento distante.

Adriana y yo vagábamos por la aldea. En una plaza encontramos la feria. Subimos a la rueda de la fortuna, el látigo y las sillas voladoras. Abatí figuras de plomo, enlacé objetos de barro, resistí toques eléctricos y obtuve de un canario amaestrado un papel rojo que predecía mi porvenir.

Hallamos en esa tarde de domingo un espacio que permitía la dicha; es decir, el momentáneo olvido del pasado y el futuro. Me negué a internarme en la casa de los espejos. Adriana vio a orillas de la feria una barraca aislada y miserable. Cuando nos acercamos el hombre que estaba a las puertas recitó:

–Pasen, señores. Conozcan a Madreselva, la infeliz niña que un castigo del cielo convirtió en tortuga por desobedecer a sus mayores y no asistir a misa los domingos. Vean a Madreselva. Escuchen en su boca la narración de su tragedia.

Entramos. En un acuario iluminado estaba Madreselva con su cara de niña y su cuerpo de tortuga. Adriana y yo sentimos vergüenza de estar allí y disfrutar la humillación del hombre y de una niña que con toda probabilidad era su hija. Terminado el relato, Madreselva nos miró a través del acuario con la expresión del animal que se desangra bajo los pies del cazador.

–Es horrible, es infame –dijo Adriana en cuanto salimos de la barraca.

–Cada uno se gana la vida como puede. Hay cosas mucho más infames. Mira, el hombre es un ventrílocuo. La niña se coloca de rodillas en la parte posterior del acuario. La ilusión óptica te hace creer que en realidad tiene cuerpo de tortuga. Es simple como todos los trucos. Si no me crees, te invito a conocer el verdadero juego.

Regresamos. Busqué una hendidura entre las tablas. Un minuto después Adriana me suplicó que la apartara. Al poco tiempo nos separamos. Después nos hemos visto algunas veces pero jamás hablamos del domingo en la feria.

Hay lágrimas en los ojos de la tortuga. El hombre la saca del acuario y la deja en el piso. La tortuga se quita la cabeza de niña. Su verdadera boca dice oscuras palabras que no se escuchan fuera del agua. El hombre se arrodilla, la toma en sus brazos, la atrae a su pecho, la besa y llora sobre el caparazón húmedo y duro. Nadie entendería que la quiere ni la infinita soledad que comparten. Durante unos minutos permanecen unidos en silencio. Después le pone la cabeza de plástico, la deposita otra vez sobre el limo, ahoga los sollozos, regresa a la puerta y vende otras entradas. Se ilumina el acuario. Ascienden las burbujas. La tortuga comienza su relato.

Parque de diversiones
■

A Russell M. Cluff

I

La gente se ha congregado alrededor del sitio que ocupan los elefantes. Entre injurias y riñas todos tratan de llegar a la primera fila con objeto de no perderse un solo detalle. Los más jóvenes han subido a los árboles y asisten desde allí al espectáculo del parto. La elefanta se halla a punto de dar a luz. El dolor la enfurece y su barritar taladra los huesos. Se azota contra el muro de cemento, se arroja al suelo, vuelve a levantarse. El elefante y las personas se limitan a observar el proceso. En su furia la elefanta no ha permitido que se acerquen el domador ni el veterinario. Ambos, a distancia, aguardan impacientes el desenlace. Transcurren dos horas. Al fin, cuando ya el grupo de curiosos se ha transformado en multitud, del viejo cuerpo oscuro empieza a sobresalir un nuevo cuerpo. La muchedumbre regocijada con el dolor de la elefanta admira el nacimiento de una bestia monstruosa, llena de sangre y pelo, que se asemeja a un elefante. El animal da algunos pasos. De pronto se parte en dos, se desinfla la cubierta de hule y de su interior brota un hombre vestido de juglar que salta, da maromas y agita dos filas de cascabeles. El público aplaude y le arroja monedas. El hombre se apresura a embolsárselas y hace una reverencia. Ante la nueva salva de aplausos el elefante y la elefanta curvan la trompa, yerguen una pata. Algunos entre el público quieren silbar –pero se les acalla.

II

Al otro extremo del zoológico se halla el jardín botánico. Pasados los invernaderos, más allá del desierto fingido y del noveno lago, surge tras un recodo la selva artificial. Este lugar resulta peligroso pues lo vigilan varios policías. A las once de la mañana entra una fila de niños guiados por su maestra de primaria. La mujer saluda a los policías, con voz marcial ordena a sus alumnos alinearse por la derecha y pide a Zamora y Láinez que den un paso al frente. Les reprocha su mala conducta, su falta de interés por los estudios, la cáscara de naranja que Zamora le tiró con resortera y las señas obscenas que hizo Láinez cuando ella corregía en el pizarrón una suma que el niño no supo resolver. Acto continuo, toma a Zamora y Láinez por las orejas y sin hacer caso de sus bramidos, estimulada por el aplauso y los gritos de sus compañeros y la indolencia de los guardianes, los acerca a los tentáculos de una planta carnívora. La planta engulle a los niños y los ablanda para digerirlos. Sólo es posible ver la dilatación de su tallo y los feroces movimientos peristálticos. Se adivinan la asfixia, los huesos quebrantados, el trabajo del ácido, la disolución de la carne. Resignada, aburrida, la maestra dicta la clase de botánica en vivo correspondiente al día de hoy. Explica a sus alumnos cómo se parece el funcionamiento de las plantas carnívoras a la acción digestiva de una boa constríctor. Un niño alza la mano, mira distraído la planta en que ya ningún movimiento puede advertirse y pregunta a la maestra qué es una boa constríctor.

III

Me encantan los domingos del parque me divierte ver tantos animales creo estar soñando me vuelve loco la alegría de contemplar fieras que juegan o hacen el amor y están siempre a punto de asesinarse con garras y colmillos me fascina verlos comer lástima que huelan tan mal o mejor dicho hiedan pues por más que se esfuerzan para tener el parque limpio todos apestan a diablos y producen mucha basura porque tragan y beben sin reposo ellos al vernos no se divierten como nosotros me duele mucho que estén allí las bestias prisioneras su vida debe de ser muy dura hacen siempre las mismas cosas para que los otros se rían de ellos y los lastimen por eso no me explico que algunos lleguen ante mi jaula y digan *mira qué tigre ¿no te da miedo?* porque aun si no hubiera rejas yo no me movería de aquí para atacarlos pues todos saben que siempre me han dado mucha lástima

IV

La sección llamada por eufemismo "la cocina" o "los talleres" del parque está vedada a los espectadores. El permitir tales visiones podría tener las peores consecuencias. En un gran patio de muros roídos por la humedad se sacrifica a los caballos comprados para alimento de las fieras. Hombre humanitario, el director suaviza la brutalidad común en los mataderos. A pesar de ello, como el presupuesto apenas alcanza a cubrir sueldos, compensaciones y viáticos del director, aún no se adquiere la pistola eléctrica e imperan los métodos tradicionales: mazazo o degüello. Ancianos menores de veinte años son liquidados uno tras otro en el patio. Aquí terminan todos sin que cuenten su lealtad y sus horas infinitas de trabajo. Animales de montura y de tiro, exhaustos caballos de carrera, ponis y percherones se unen en la igualdad de la muerte, reciben el cuchillo del matarife como pago de sus esfuerzos y su vida infernal. Sólo vísceras, huesos y pellejos van a dar a las jaulas de los carnívoros. El director envía las mejores partes a sus puestos de hamburguesas y hotdogs y destina otra porción a su fábrica de alimentos para gatos y perros. Entre los visitantes y los trabajadores del parque no se menciona a los caballos. Nadie quiere ver en qué forma será recompensado su propio esfuerzo.

V

Atrás de las jaulas se levanta la estación del ferrocarril. Muchos niños suben a él, a veces acompañados por sus padres. Cuando arranca el tren se sobresaltan. Luego miran con júbilo los bosques, la maleza, la cadena de lagos, las montañas, los túneles. Lo único singular en este tren es que nunca regresa. Y cuando lo hace los niños son ya adultos y están llenos de miedo y resentimiento.

VI

Una familia —el padre, la madre, los dos niños— llega a la arboleda del parque y tiende su mantel sobre la hierba. El esperado día de campo ocurre al fin este domingo. A uno de los niños le dan permiso para comprar un globo. Se aleja. Sus pasos resuenan al quebrantar las hojas muertas del sendero. Cantan algunos pájaros. Se oye el rumor del agua.

El señor ordena a su esposa que empiecen a comer antes que vuelva el niño. La señora tiende el mantel y distribuye carne, pan, mantequilla, mostaza. No tardan en reunirse algunos perros y, como siempre, una hilera de hormigas avanza hacia las migajas. Los dos señores quieren mucho a los animales. Reparten cortezas de pan y trocitos de carne entre los perros y no hacen nada por impedir que las hormigas asalten la cesta que guarda el flan y las gelatinas. Al poco tiempo están rodeados por setenta perros y más o menos un billón de hormigas. Los perros exigen más comida. Rugen, enseñan los colmillos. Los señores y su hijo tienen que arrojar a las fauces sus propios bocados. Pronto quedan cubiertos de hormigas que

34

voraz, veloz, vertiginosamente se obstinan en descarnarlos. Los perros se dan cuenta de su inferioridad y prefieren pactar con las hormigas antes de que sea tarde. Cuando el primer niño regresa a la arboleda busca a su familia y sólo encuentra repartido el botín: largas columnas de hormigas (cada una lleva un invisible pedacito de carne) y una orgía de perros que juegan a enterrar tibias y cráneos o pugnan por desarticular el mínimo esqueleto que por fin cede y en un instante más queda deshecho.

VII

A la sombra de los juegos mecánicos se yergue la isla de los monos. Un foso y una alambrada los separan de quienes, con ironía o piedad, los miran vivir. En la selva libre que sólo conoció la primera generación (ya muerta) de reclusos del parque los monos convivían en escasez y en paz, sin oprimir a los órdenes inferiores de su especie. En el sobrepoblado cautiverio disfrutan de cuanto se les antoja. La tensión, la agresiva convivencia, el estruendo letal, la falta de aire puro y espacio, los obligan a consumir toneladas de plátanos y cacahuates. Varias veces al día hombres temerosos y armados entran a limpiar la isla para que la mierda y la basura no asfixien a sus habitantes. Así pues, en principio, los cautivos tienen asegurada la supervivencia. No les hace falta preocuparse por buscar alimento y los veterinarios atienden (cuando quieren) sus heridas y enfermedades. Sin embargo, la existencia en la isla es breve y siniestra. El sistema de la prisión descansa en una jerarquía implacable. Los machos dominantes se erigen en tiranos. Hábiles en su juego pero cobardes por naturaleza, los chimpancés actúan como bufones para diversión de los de adentro y los de afuera. Minorías como el saraguato, el mono tití y el mono araña sobreviven bajo el terror. Los mandriles reverencian a los gorilas. Nadie cuida de las crías. Violencia

35

y prostitución corrompen a todos desde pequeños. A diario aumentan los asesinatos, los robos, las violaciones, los abusos del fuerte contra el débil. En esta forma unos a otros se destruyen. Incapaces de rebelarse contra los monos sin pelambre que al capturarlos destruimos su rudo paraíso y los llevamos en féretros de hierro hasta el parque, muchos acaban por creer que los horrores de la isla son inevitables y naturales, las cosas fueron y seguirán así, el círculo de piedra y la alambrada eléctrica los encarcelarán para siempre. Sólo unos cuantos de ellos piensan que bastaría un brote de insumisión para que todo fuera diferente.

VIII

El arquitecto que proyectó este parque conocía la novela acerca del hombre exhibido en un zoológico y decidió hacer algo aun más original. Su idea ha tenido tan buen éxito que dondequiera tratan en vano de reproducirla. La revista *Time* le dedicó varias páginas. Declaró el arquitecto: "El parque de diversiones con que he dotado a mi ciudad no es desde luego original pero quizá resulte sorprendente. En apariencia es como todos. Acuden a él personas deseosas de observar los tres reinos de la naturaleza. Este parque se halla dentro de otro parque y este otro, a su vez, invierte el proceso de las botellas que pueden vaciarse pero no ser llenadas nuevamente. Es decir, permite la entrada y clausura para siempre toda posibilidad de salida –a menos que los visitantes se arriesguen a desmantelar mi organización que aplica a la arquitectura monumental la teoría de las cajas chinas y las muñecas rusas. Porque estos parques se encuentran dentro de otros parques en que los asistentes contemplan a los que contemplan y éstos se hallan dentro de parques que contienen más parques contenidos en parques –mínimos eslabones en una cadena sinfín de parques que contienen más parques y son contenidos dentro de parques donde nadie

ve a nadie sin ser al mismo tiempo mirado, juzgado y conde-
nado. Tomemos un solo ejemplo para ilustrar lo que he dicho.
Miren: La gente se ha congregado alrededor del sitio que ocupan los elefantes. Entre injurias y riñas todos tratan de llegar a
la primera fila con objeto de no perderse un solo detalle. Los
más jóvenes han subido a los árboles y asisten desde allí al espectáculo del parto".

La cautiva

A John Brushwood

A las seis de la mañana un sacudimiento pareció arrancar de cuajo al pueblo entero. Salimos a la calle con miedo de que los techos se desplomaran sobre nosotros. Luego temimos que el suelo se abriera para devorarnos. Calmado el temblor, nuestras madres seguían rezando. Algunos juraban que el sismo iba a repetirse con mayor fuerza. Bajo tanta zozobra, creímos, no iban a enviarnos a la escuela. Entramos dos horas tarde y en realidad no hubo clases: nos limitamos a intercambiar experiencias.

–En pleno 1934 –dijo el profesor– ustedes no pueden creer en las supersticiones que atemorizan a sus mayores. Lo que pasó esta mañana no es un castigo divino. Se trata de un fenómeno natural, un acomodo de las capas terrestres. El terremoto nos ha permitido apreciar la superioridad de lo moderno sobre lo antiguo. Como pueden ver, los más dañados son los edificios coloniales. En cambio los modernos resistieron la prueba.

Repetimos su explicación ante nuestros padres. La consideraron una muestra del descreimiento que trataba de infundirnos la escuela oficial. Por la tarde, cuando ya todo estaba de nuevo en calma, me reuní con mis amigos Guillermo y Sergio. Guillermo sugirió ir a investigar qué había pasado en las ruinas del convento. Nos gustaba jugar en él y escondernos en sus celdas. Hacia 1580 lo construyeron en lo alto de la montaña para ejercer su dominio sobre los valles productores de trigo. En el siglo XIX lo expropió el gobierno de Juárez y durante la intervención francesa sirvió como cuartel. Por su importancia estratégica fue bombardeado en los años revolucionarios y la guerra cristera condujo a su abandono definitivo en 1929. A nadie le agradaba pasar cerca de él: "Allí espantan", decían.

Por todo esto considerábamos una aventura adentrarnos en sus vestigios, pero nunca antes nos habíamos atrevido a explorarlos de noche. En circunstancias normales nos hubiera aterrado visitar a esas horas el convento. Aquella tarde todo nos parecía explicable y divertido.

Cruzamos la pradera entre el río y el cementerio. El sol poniente iluminaba los monumentos funerarios. En vez de ascender por la rampa maltrecha que había sido el camino de los carruajes y las mulas utilizamos nuestro atajo. Subimos la cuesta hasta que el declive nos obligó a continuar casi arrastrándonos. Nadie se animaba a volver la cara por miedo de que le diera vértigo la altura. No obstante, cada uno de nosotros intentaba probar en silencio que los cobardes eran los otros dos.

Al llegar a la cima no apreciamos estragos en la fachada. Las ruinas habían vencido un intento más de pulverizarlas. Lo único extraño fue encontrar una gran cantidad de abejas muertas. Guillermo tomó una entre los dedos y volvió en silencio a nuestro lado. El patio central se hallaba cada vez más invadido por cardos y matorrales. Vigas decrépitas apuntalaban los muros agrietados.

Avanzamos por el pasillo cubierto de hierba. La humedad y el salitre habían borrado los antiguos frescos que representaban escenas de la evangelización en una zona destinada a alimentar a los trabajadores de las minas. A cada paso aumentaba nuestro temor pero nadie se atrevía a confesarlo.

El claustro nos pareció aun más devastado que otras partes del edificio. Por los peldaños rotos subimos al primer piso. Había oscurecido. Empezaba a llover. Las gotas resonaban en la piedra porosa. Los rumores nocturnos se levantaban en los alrededores. El viento parecía gemir bajo la luz difusa que precede a las tinieblas. Sólo llevábamos una lámpara de mano que Guillermo pidió prestada a su padre.

Sergio se asomó a una ventana y dijo que por el camposanto rodaban bolas de fuego. Nos estremecimos. A la distancia se escuchó un trueno. Varios murciélagos se desprendieron del techo y su aleteo repercutió entre las bóvedas. Nos echamos a correr. Íbamos a media escalera cuando nos sobresaltó el grito de Sergio. Guillermo y yo regresamos por él. En la penumbra lo vimos estremecerse y apuntar hacia una celda. Lo tomamos de los brazos y, ya sin ocultar nuestro pavor, fuimos hacia el sitio que señalaba con sonidos guturales.

En cuanto entramos Sergio logró zafarse de nosotros. Se echó a correr, huyó y nos dejó solos. Guillermo encendió la linterna. Vimos que al derribar una pared el temblor había puesto al descubierto un osario. El haz de luz nos permitió distinguir entre calaveras y esqueletos la túnica amarillenta de una mujer atada a una silla metálica: un cadáver momificado en lo que parecía una actitud de infinita calma y perpetua inmovilidad.

Sentí el horror en todo mi cuerpo. No sé cómo, pude vencerlo por un instante y acercarme a la muerta. Guillermo susurró algo para detenerme. Acerqué el foco hasta el cráneo de rasgos borrados y rocé la frente con la punta de los dedos. Bajo esa mínima presión el cuerpo entero se desmoronó, se volvió polvo sobre el asiento de metal.

Fue como si el mundo entero se pulverizara con la cautiva. Me pareció escuchar un estruendo de siglos. Todo giró ante mis ojos. Sentí que, revelado su secreto, el convento iba a desintegrarse sobre nosotros. Yo también quedé inmovilizado por el terror. Guillermo reaccionó, me arrastró lejos de ese lugar y huimos cuestabajo a riesgo de despeñarnos.

En la falda del cerro nos encontraron nuestros padres y las otras personas que habían salido a buscarnos. Acababan de escuchar la narración estremecida de Sergio. Unos cuantos quisieron subir hasta las ruinas. El padre Santillán nos condujo a la iglesia para hacernos la señal de la cruz con agua bendita. La madre de Guillermo nos dio valeriana y té de tila.

Hora y media después nos alcanzaron en la sacristía quienes

habían subido al convento para verificar nuestro relato. El profesor intentó formular otra hipótesis racional que convenciera a todo el pueblo y anonadara a nuestro párroco. El terremoto, afirmó, puso al descubierto una antigua cripta con restos casi deshechos. No había un solo cuerpo momificado. Desde luego la presencia de una silla de metal en el osario resultaba extraña, pero debía tratarse de un olvido por parte del fraile a quien se encomendó ordenar las osamentas. Ningún cadáver se pulverizó bajo mi tacto: fue una alucinación producida por nuestro miedo cuando la oscuridad nos sorprendió en un lugar abandonado al que rodeaban leyendas sin base histórica. Nuestras visiones, terminó, eran consecuencia lógica de la perturbación que en todos los habitantes causó el temblor.

Fueron inútiles explicaciones, bromas y consuelos. No cerré los ojos en toda la noche. La imagen del cuerpo que se disgregaba al tocarlo no se apartó de mí jamás. Entre todos nuestros interrogadores sólo el padre Santillán no se dejó intimidar y aceptó nuestra versión. Dijo que nos tocó asistir al desenlace de un crimen legendario en los anales del pueblo, una venganza de la que nadie había podido confirmar la verdad.

El cadáver deshecho entre mis dedos era el de una mujer a la que en el siglo XVIII administraron un tóxico paralizante. Al abrir los ojos se halló emparedada en un osario. Murió de angustia, de hambre y de sed, sin poder moverse de la silla en que la encontramos ciento cincuenta años después. Era la esposa de un corregidor. Su doble crimen fue tener relaciones con un monje del convento y arrojar a un pozo al niño que nació de esos amores.

Guillermo preguntó cuál había sido el castigo para el monje.

—Fue enviado a Filipinas —respondió Santillán.

—Padre, ¿no cree usted que fue una injusticia? —me atreví a preguntar.

—Tal vez el religioso merecía una pena severa. Si bien no puedo aprobar el emparedamiento, no olviden ustedes lo que dice Tertuliano: "La mujer es la puerta del demonio. Por ella entró el Mal en el paraíso y lo convirtió en este valle de lágrimas".

Pasó el tiempo. Los niños de 1934 nos hicimos adultos y nos dispersamos. Mi vida en el pueblo se acabó para siempre. Jamás regresé ni volví a ver a Sergio ni a Guillermo. Pero cada temblor me llena de pánico. Siento que la tierra devolverá a sus cadáveres para que mi mano les dé al fin el reposo, la otra muerte.

El castillo en la aguja

■

A Renato Prada Oropeza

Por la noche, antes de quedarse dormido, escuchaba el galope del viento sobre el campo de espigas. En la mañana desayunaba con su madre. Salía de la cocina a pasear por los jardines de la casa. Le gustaba ver los juegos del sol en el plumaje de los pavos reales y su propia cara reflejada en el fondo del pozo. Subía al muro que los aislaba de la carretera y durante horas contaba los vehículos que iban al puerto o regresaban de él.

A las dos su madre le servía el almuerzo en la mesa con mantel de hule. Después Pablo se dirigía a la huerta y, si don Felipe y Matilde no lo vigilaban, sus diversiones eran violentas: destruir hormigueros, cazar mariposas y arrancarles las alas. Luego, al oscurecer, tomaban café con leche y pan dulce. Y mientras su madre escuchaba en la radio las trasmisiones más populares de 1948, Pablo leía *El Corsario Negro* y *Viaje al centro de la tierra*, libros prestados por Gilberto. En eso consistían sus vacaciones y representaban algo parecido a la felicidad. Cuando terminaran volvería al internado y a las obligaciones, regaños, burlas, golpes.

A fines de 1946 ocupó la presidencia Miguel Alemán y el señor y la señora Aragón se fueron a vivir a la capital. Mantuvieron la casa de campo aunque nada más la visitaban una o dos veces al año. Quedó al cuidado de gente de confianza: don Felipe, su amigo de infancia, cuando nadie hubiera predicho que Aragón se iba a enriquecer en la política y el otro jamás saldría de pobre; Matilde, con la que don Felipe llevaba más de treinta años, y Catalina, la muchacha que desde pequeña había servido a la familia. En un mal momento Catalina resultó embarazada, nunca dijo por quién, y en la Navidad de 1936 nació Pablo. Matrimonio sin hijos, los Aragón se compadecieron de él y le pagaban el internado en el puerto.

Desde el autobús Pablo miraba la vegetación implacable crecida entre las ciénagas. A la distancia apareció el campo de espigas. Pablo se levantó para indicar al chofer el sitio en que se bajaría. Cuando el vehículo se detuvo, el niño dio las gracias y atravesó la carretera. Deslumbrado por el sol, avanzó por el sendero de grava. Su madre salió a abrirle la reja y Pablo entró en su casa, la casa ajena, el castillo en la aguja.

Las ventanas del gran salón daban al mar. Terminadas las clases Pablo se quedaba de pie y observaba las olas que no descansan. En el internado tenía un solo amigo, Gilberto. Nunca entendió por qué estaba en un sitio que no era el suyo. Gilberto aseguraba que sus padres se propusieron templar su carácter, disciplinarlo para que al crecer no fuera un inútil, como tantos hijos de ricos, y preparar su ingreso en la Culver Military Academy de Indiana.

"O nos hacemos como ellos o vamos a ser eternamente sus criados", aseguró el ingeniero Benavides, padre de Gilberto en una conferencia que dio a los internos. "Si con Miguel Alemán los mexicanos no nos ponemos al día ya no lo vamos a hacer jamás. Ahora o nunca. Es tiempo de acabar con tanta incuria, con tanta corrupción, con tanta ignorancia, con tanta pereza, con tanta irresponsabilidad. Me niego a pensar que este país nació así y ya no tiene remedio."

A pesar de la amistad Gilberto nunca lo había invitado a su casa. Un domingo lo hizo por fin y entonces Pablo conoció a Yolanda. Gilberto los presentó, su hermana retuvo por un instante la mano de Pablo y lo miró a los ojos. Se despidió, subió las escaleras y se perdió en el fondo del corredor.

Otro domingo fueron a un pueblo a orillas del río. En un restaurante hecho de tablas comieron mojarras y camarones y escucharon música de arpas y guitarras. Algunas parejas salieron a bailar. La señora Benavides animó a Yolanda a hacerlo también.

–Participa en todos los festivales de la escuela. Es la mejor en bailes regionales y nadie le gana en flamenco y hawaiano. Tiene un gran talento de bailarina pero nosotros queremos verla con un título profesional –dijo como para ser escuchada y envidiada en todo el restaurante.

Yolanda se volvió a ver a Pablo y se negó. El ingeniero le recordó a su esposa que se hallaban en un lugar al que sólo habían ido por la frescura de sus productos recién sacados del agua. Allí había gente de otra clase: indios, negros, obreros, estibadores, sirvientas, empleadas de almacén, personas vulgares. Una niña como Yolanda no iba a servirles de espectáculo. Benavides habló en un tono suave para que su esposa no se diera por amonestada en presencia de un intruso y Pablo, a su vez, entendiese el gran favor que le hacía una familia así al permitir que los acompañara.

El ingeniero pidió la cuenta y dejó una mínima propina. Volvieron al Buick y tomaron el camino de regreso. Pablo, que no había abierto la boca en toda la tarde, habló al oído de Gilberto. El niño se inclinó hacia el asiento delantero:

–Dice Pablo que nos invita a conocer su casa.

–Dale las gracias –contestó Benavides–, pero creo que mejor vamos otro día. Hoy ya es muy tarde y mañana hay que trabajar desde temprano.

Gilberto se empeñó en conocer el sitio del que tanto le había hablado su amigo. Ansiaba jugar en la huerta y observar a los pavos reales.

–Está bien pero sólo un momento. No conocemos a sus padres y no es de buena educación hacer visitas sin anunciarse –concluyó el ingeniero.

El automóvil siguió por la carretera arbolada. Hacía calor y el aire estaba lleno de sal. En el asiento de atrás Pablo ocupaba el lugar de enmedio, el incómodo. Cuando el Buick tomó una curva tendida sobre la ciénaga Pablo sintió que el cuerpo de Yolanda rozaba su piel. Gilberto leía las aventuras de Mandrake. Su madre estaba absorta en la sección de sociales. De vez en cuando hacía comentarios despectivos que celebraba el ingeniero. Benavides encendió la radio. Como del fondo de los tiempos llegó un danzón. Al lado izquierdo apareció el campo de espigas.

Pablo se aproximó un centímetro más. Contra lo que esperaba, Yolanda no rehusó la cercanía. Sus manos se tocaron por un segundo. En ese instante apareció ante ellos el edificio que imitaba un castillo del Rin enmedio de la vegetación tropical.

–Ésta es mi casa –dijo Pablo como si se dirigiera sólo a Yolanda.

Gilberto interrumpió la lectura de los cómics para corregir a Pablo: –No, no es así. Se dice: "Aquí tienen ustedes su casa".

En vez de responder Pablo rozó de nuevo la mano de Yolanda. Benavides moderó la marcha y el Buick entró por el sendero de grava. Don Felipe se apresuró a abrir el portón, se quitó el sombrero de palma y saludó inclinando la cabeza.

Pablo se volvió hacia Yolanda: –¿Te gusta?

Yolanda no tuvo tiempo de contestar: la señora Aragón apareció en el vestíbulo, bajó los escalones y se acercó a la ventanilla:

–Ingeniero, Dorita, qué milagro. No saben cuánto gusto nos da verlos. ¿Por qué nunca antes habían querido venir? Pasen por favor. Están en su casa.

Pablo trató de ver los ojos de Yolanda. La niña enrojeció, desvió la mirada, simuló interesarse en los pavos reales. Gilberto quedó rígido y fijó la vista en las aventuras de Mandrake. Al descubrir a Pablo la señora Aragón le ordenó:

–Dile por favorcito a tu mamá que nos prepare café y sirva helados para los niños.

Pablo se alejó a la carrera y en vez de ir a la cocina fue hacia la veleta. Cerca del pozo rompió a llorar. Se asomó al fondo oscuro y el agua no reflejó su cara. En ese instante empezó a soplar el viento del norte. Levantó arena de la playa, dejó surcos en las acequias y arrojó flores al pantano. El viento se adueñaba de todo mientras Pablo corría hacia un lugar en el que nadie nunca pudiera humillarlo otra vez ante Yolanda.

Aqueronte

■

A Paloma Villegas

Son las cinco de la tarde, la lluvia ha cesado, bajo la húmeda luz el domingo parece vacío. La muchacha entra en el café. La observan dos parejas de edad madura, un padre con cuatro niños pequeños. A una velocidad que demuestra su timidez, atraviesa el salón, toma asiento a una mesa en el extremo izquierdo. Por un instante se aprecia nada más la silueta a contraluz del brillo solar en los ventanales. Cuando se acerca el mesero la muchacha pide una limonada, saca un cuaderno y se pone a escribir algo en sus páginas. No lo haría si esperara a alguien que en cualquier momento puede llegar a interrumpirla. La música de fondo está a bajo volumen. De momento no hay conversaciones.

El mesero sirve la limonada, ella da las gracias, echa azúcar en el vaso alargado y la disuelve con una cucharilla de peltre. Prueba el líquido agridulce, vuelve a concentrarse en lo que escribe con un bolígrafo de tinta roja. ¿Un diario, una carta, una tarea escolar, un poema, un cuento? Imposible saberlo, imposible saber por qué está sola en la capital y no tiene adónde ir la tarde de un domingo en mayo de 1966. Es difícil calcular su edad: catorce, dieciocho, veinte años. La hacen muy atractiva la esbelta armonía de su cuerpo, el largo pelo castaño, los ojos un poco rasgados, un aire de inocencia y desamparo, la pesadumbre de quien tiene un secreto.

Un joven de la misma edad o acaso un poco mayor se sienta en un lugar de la terraza, aislada del salón por un ventanal. Llama al mesero y ordena un café. Observa el interior. Su mirada recorre lugares vacíos, grupos silenciosos y se detiene un instante en la muchacha. Al sentirse observada alza la vista. En seguida baja los ojos y se concentra en su escritura. El salón ya no flota en la penumbra: acaban de encender las luces fluorescentes.

Bajo la falsa claridad ella de nuevo levanta la cabeza y encuentra la mirada del joven. Agita la cucharilla de peltre para disolver el azúcar asentada en el fondo. Él prueba su café y observa a la muchacha. Sonríe al ver que ella lo mira y luego se vuelve hacia la calle. Este mostrarse y ocultarse, este juego que parece divertirlos o exaltarlos se repite con leves variantes por espacio de un cuarto de hora o veinte minutos. Por fin él la mira de frente y sonríe una vez más. Ella aún trata de esconder el miedo o el misterio que impiden el natural acercamiento.

El ventanal la refleja, copia sus actos, la duplica sin relieve ni hondura. Recomienza la lluvia, el aire arroja gotas de agua a la terraza. Cuando siente humedecerse su ropa el joven da muestras de inquietud y ganas de marcharse. Entonces ella desprende una hoja del cuaderno, escribe unas líneas y da una mirada ansiosa al desconocido. Con la cuchara golpea el vaso alargado. Se acerca el mesero, toma la hoja de papel, lee las primeras palabras, retrocede, gesticula, contesta indignado, se retira como quien opone un gesto altivo a la ofensa que acaba de recibir.

Los gritos del mesero llaman la atención de todos los presentes. La muchacha enrojece y no sabe en dónde ocultarse. El joven observa paralizado la escena inimaginable: el desenlace lógico era otro. Antes de que él pueda intervenir, vencer la timidez que lo agobia cuando se encuentra sin el apoyo, el estímulo, la mirada crítica de sus amigos, la muchacha se levanta, deja unos billetes sobre la mesa y sale del café.

Él la ve pasar por la terraza sin mirarlo, se queda inmóvil un instante, luego reacciona y toca en el ventanal para que le traigan la cuenta. El mesero toma lo que dejó la muchacha, va hacia la caja y habla mucho tiempo con la encargada. El joven recibe la nota, paga y sale al mundo en que se oscurece la lluvia. En una esquina donde las calles se bifurcan mira hacia todas partes. No la encuentra. El domingo termina. Cae la noche en la ciudad que para siempre ocultará a la muchacha.

La reina

■

A Emilio Carballido

Oh reina, rencorosa y enlutada...

Porfirio Barba Jacob

Adelina apartó el rizador de pestañas y comenzó a aplicarse el rímel. Una línea de sudor manchó su frente. La enjugó con un clínex y volvió a extender el maquillaje. Eran las diez de la mañana. Todo lo impregnaba el calor. Un organillero tocaba el vals *Sobre las olas*. Lo silenció el estruendo de un carro de sonido en que vibraban voces incomprensibles. Adelina se levantó del tocador, abrió el ropero y escogió un vestido floreado. La crinolina ya no se usaba pero, según la modista, no había mejor recurso para ocultar un cuerpo como el suyo.

Se contempló indulgente en el espejo. Atravesó el patio interior entre las macetas y los bates de beisbol, las manoplas y gorras que Óscar había dejado como para estorbarle su camino. Entró en el cuarto de baño y subió a la balanza. Se descalzó, incrédula. Pisó de nuevo la cubierta de hule. Se desnudó y probó por tercera vez. La balanza marcaba ochenta kilos. Debía estar descompuesta: era el mismo peso registrado una semana atrás al iniciar la dieta y el ejercicio.

Regresó por el patio que era más bien un pozo de luz con vidrios traslúcidos. Un día, como predijo Óscar, el piso iba a desplomarse si ella no adelgazaba. Se imaginó cayendo en la tienda de ropa. Los turcos, inquilinos de su padre, la detestaban. Cómo iban a reírse Aziyadé y Nadir al encontrarla sepultada bajo metros y metros de popelina.

Al llegar al comedor vio como por vez primera los lánguidos retratos familiares: Adelina a los seis meses, triunfadora en el concurso "El bebé más robusto de Veracruz". A los nueve años, en el teatro Clavijero, declamando "Madre o mamá" de Juan de Dios Peza. Óscar, recién nacido, flotante en un moisés enorme, herencia de su hermana. Óscar, el año pasado, pítcher en la Liga Infantil del Golfo. Sus padres el día de la boda, él aún con uniforme de cadete. Guillermo en la proa del *Durango*, ya con insignias de capitán. Él mismo en el acto de estrechar la mano del señorpresidente en el curso de unas maniobras entre el castillo de San Juan de Ulúa y la Isla de Sacrificios. Hortensia al fondo, con sombrilla, tan ufana de su marido y tan cohibida por hallarse junto a la esposa del gobernador y la diputada Goicochea. Adelina, en la fiesta de quince años, bailando con su padre el vals *Fascinación*. Qué día. Mejor ni acordarse. Quién la mandó invitar a las Osorio. Y el chambelán que no llegó al Casino: antes que hacer el ridículo valsando con Adelina, prefirió arriesgar su carrera y exponerse a la hostilidad de Guillermo, su implacable instructor en la Heroica Escuela Naval.

—Qué triste es todo —se oyó decirse—. Ya estoy hablando sola. Es por no desayunarme—. Fue a la cocina. Se preparó en la licuadora un batido de plátanos y leche condensada. Mientras lo saboreaba hojeó *Huracán de amor*. No había visto ese número de "La Novela Semanal", olvidado por su madre junto a la estufa.

—Hortensia es tan envidiosa... ¿Por qué me seguirá escondiendo sus historietas y sus revistas como si yo fuera todavía una niñita?

"No hay más ley que nuestro deseo", afirmaba un personaje en *Huracán de amor*. Adelina se inquietó ante el torso desnudo del hombre que aparecía en el dibujo. Pero nada comparable a cuando halló en el portafolios de su padre *Corrupción en el internado para señoritas* y *Las tres noches de Lisette*. Si Hortensia —o peor: Guillermo— la hubieran sorprendido...

Regresó al baño. En vez de cepillarse los dientes se enjuagó con Listerine y se frotó los incisivos con la toalla. Cuando iba hacia su cuarto sonó el teléfono.

—Gorda...

—¿Qué quieres, pinche enano maldito?

—Cálmate, gorda, es un recado de *our father*. ¿Por qué amaneciste tan furiosa, Adelina? Debes de haber subido otros cien kilos.

—Qué te importa, idiota, imbécil. Ya dime lo que vas a decirme. Tengo prisa.

—¿Prisa? Sí, claro: vas a desfilar como reina del carnaval en vez de Leticia ¿no?

—Mira, estúpido, esa *negra* débil mental no es reina ni es nada: su familia compró todos los votos y ella se acostó hasta con el barrendero de la comisión organizadora. Así quién no.

—La verdad, gorda, es que te mueres de envidia. Qué darías por estar ahora arreglándote para el desfile en vez de Leticia.

—¿El desfile? Ja ja, no me importa el desfile. Tú, Leticia y todo el carnaval me valen una pura chingada.

—Qué bonito trompabulario. Dime dónde lo aprendiste. No te lo conocía. Ojalá te oigan mis papás.

—Vete al carajo.

—Ya cálmate, gorda. ¿Qué te pasa? ¿De cuál fumaste? Ni me dejas hablar... Mira, dice mi papá que vamos a comer aquí en Boca del Río con el vicealmirante; que de una vez va ir a buscarte la camioneta porque luego, con el desfile, no va a haber paso.

—No, gracias. Dile que tengo mucho que estudiar. Además ese viejo idiota del vicealmirante me choca. Siempre con sus bromitas y chistecitos imbéciles. Y el pobre de mi papá tiene que celebrarlos.

—Haz lo que te dé la gana, pero no tragues tanto ahora que nadie te lo impide.

—Cierra el hocico y ya no estés jodiendo.

—¿A que no le contestas así a mi mamá? ¿A que no, verdad? Voy a desquitarme, gorda maldita. Te vas a acordar de mí, bola de manteca.

Adelina colgó furiosa el teléfono. Sintió ganas de llorar. El calor la rodeaba por todas partes. Abrió el ropero infantil adornado con calcomanías de Walt Disney. Sacó un bolígrafo y un cuaderno rayado. Fue a la mesa del comedor y escribió:

Queridísimo Alberto:

Por milésima vez hago en este cuaderno una carta que no te mandaré nunca y siempre te dirá las mismas cosas. Mi hermano acaba de insultarme por teléfono y mis papás no me quisieron llevar a Boca del Río. Bueno, Guillermo seguramente quiso; pero Hortensia lo domina. Ella me odia, por celos, porque ve cómo me adora mi papá y cuánto se preocupa por mí.

Aunque si me quisiera tanto como supongo ya me hubiese mandado a España, a Canadá, a Inglaterra, a no sé dónde, lejos de este infierno que mi alma, sin ti, ya no soporta.

Se detuvo. Tachó "que mi alma, sin ti, ya no soporta".

Alberto mío, dentro de un rato voy a salir. Te veré de nuevo, por más que tú no me mires, cuando pases en el carro alegórico de Leticia. Te lo digo de verdad: ella no te merece. Te ves tan... tan, no sé cómo decirlo, con tu uniforme de cadete. No ha habido en toda la historia un cadete como tú. Y Leticia no es tan guapa como supones. Sí, de acuerdo, tal vez sea atractiva, no lo niego: por algo llegó a ser reina del carnaval. Pero su tipo resulta, ¿cómo te diré?, muy vulgar, muy corriente. ¿No te parece?

Y es tan coqueta. Se cree muchísimo. La conozco desde que estábamos en kínder. Ahora es íntima de las Osorio y antes hablaba muy mal de ellas. Se juntan para burlarse de mí porque soy más inteligente y saco mejores calificaciones. Claro, es natural: no ando en fiestas ni cosas de ésas, los domingos no voy a dar vueltas al zócalo, ni salgo todo el tiempo con muchachos. Yo sólo pienso en ti, amor mío, en el instante en que tus ojos se volverán al fin para mirarme.

Pero tú, Alberto, ¿me recuerdas? ¿Te has olvidado de que

nos conocimos hace dos años –acababas de entrar en la Naval– una vez que acompañé a mi papá a Antón Lizardo? Lo esperé en la camioneta. Tú estabas arreglando un yip y te acercaste. No me acuerdo de ningún otro día tan hermoso como aquel en que nuestras vidas se encontraron para ya no separarse jamás.

Tachó "para ya no separarse jamás".

Conversamos muy lindo mucho tiempo. Quise dejarte como recuerdo mi radio de transistores. No aceptaste. Quedamos en vernos el domingo para ir al zócalo y a tomar un helado en el "Yucatán".

Te esperé todo el día ansiosamente. Lloré tanto esa noche... Pero luego comprendí: no llegaste para que nadie dijese que te interesaba cortejarme por ser hija de alguien tan importante en la Armada como mi padre.

En cambio, te lo digo sinceramente, nunca podré entender por qué la noche de fin de año en el Casino Español bailaste todo el tiempo con Leticia y cuando me acerqué y ella nos presentó dijiste: "mucho gusto".

Alberto: se hace tarde. Salgo a tu encuentro. Sólo unas palabras antes de despedirme. Te prometo que esta vez sí adelgazaré y en el próximo carnaval, como lo oyes, yo voy a ser ¡LA REINA! (Mi cara no es fea, todos lo dicen.) ¿Me llevarás a nadar a Mocambo, donde una vez te encontré con Leticia? (Por fortuna ustedes no me vieron: estaba en traje de baño y corrí a esconderme entre los árboles.)

Ah, pero el año próximo, te juro, tendré un cuerpo más hermoso y más esbelto que el suyo. Todos los que nos miren te envidiarán por llevarme del brazo.

Chao, amor mío. Ya falta poco para verte. Hoy como siempre es toda tuya

Adelina

Volvió a su cuarto. Al ver la hora en el despertador de Bugs Bunny dejó sobre la cama el cuaderno en que acababa de escribir, retocó el maquillaje ante el espejo, se persignó y bajó a toda prisa las escaleras de mosaico. Antes de abrir la puerta del zaguán respiró el olor a óxido y humedad. Pasó frente a la sedería de los turcos: Aziyadé y Nadir no estaban; sus padres se disponían a cerrar.

En la esquina encontró a dos compañeros de equipo de su hermano. (¿No habían ido con él a Boca del Río?) Al verla maquillada le preguntaron si iba a participar en el concurso de disfraces o si acababa de lanzar su candidatura para Rey Feo.

Los miró con furia y desprecio. Se alejó taconeando bajo el olor a pólvora que los buscapiés, las brujas y las palomas dejaban al estallar. No había tránsito: la gente caminaba por la calle tapizada de serpentinas, latas y cascos de cerveza. Encapuchados, mosqueteros, payasos, legionarios romanos, ballerinas, circasianas, amazonas, damas de la corte, piratas, napoleones, astronautas, guerreros aztecas y grupos y familias con máscaras, gorritos de cartón, sombreros zapatistas o sin disfraz avanzaban hacia la calle principal.

Adelina apretó el paso. Cuatro muchachas se volvieron, la observaron y la dejaron atrás. Escuchó su risa unánime y pensó que se estarían burlando de ella como los amigos de Óscar. Luego caminó entre las mesas y los puestos de los portales, atestados de marimbas, conjuntos jarochos, vendedores de jaibas rellenas, billeteros de lotería.

No descubrió a ningún conocido pero advirtió que varias mujeres la escrutaban con sorna. Pensó en sacar de su bolsa el espejito para ver si, inexperta, se había maquillado en exceso. Por vez primera empleaba los cosméticos de su madre. Pero ¿dónde se ocultaría para mirarse?

Con grandes dificultades llegó a la esquina elegida. El calor, la promiscua cercanía de tantos extraños y el estruendo informe le provocaban un malestar confuso. Entre aplausos apareció la descubierta de charros y chinas poblanas. Bajo música y gritos desfiló la comparsa inicial: los jotos vestidos de pavos reales. Siguieron mulatos disfrazados de vikingos, guerreros aztecas cubiertos de serpentinas, estibadores con bikinis y penachos de rumbera.

Pasaron cavernarios, kukluxklanes, Luis XV y la nobleza de Francia con sus blancas pelucas entalcadas y sus falsos lunares, Blanca Nieves y los Siete Enanos (Adelina sentía que la empujaban y manoseaban), Barbazul en plena tortura y asesinato de sus mujeres, Maximiliano y Carlota en Chapultepec, pieles rojas, caníbales teñidos de betún y adornados con huesos humanos (la transpiración humedecía su espalda); Romeo y Julieta en el balcón de Verona, Hitler y sus mariscales, llenos de suásticas y monóculos; gigantes y cabezudos, James Dean al frente de sus rebeldes sin causa, Pierrot, Arlequín y Colombina, doce Elvis Presleys que trataban de cantar en inglés y moverse como él. (Adelina cerró los ojos ante el brillo del sol y el caos de épocas, personajes, historias.)

Empezaron los carros alegóricos, unos tirados por tractores, otros improvisados sobre camiones de redilas: el de la Cervecería Moctezuma, Miss México, Miss California, notablemente aterrada por lo que veía como un desfile salvaje; las Orquídeas del Cine Nacional, el Campamento Gitano –niñas que lloriqueaban por el calor, el miedo de caerse y la forzada inmovilidad–, el Idilio de los Volcanes según el calendario de Helguera, la Malinche y Hernán Cortés, las Mil y una Noches, pesadilla de cartón, lentejuelas y trapos.

La sobresaltaron un aliento húmedo de tequila y una caricia envolvente: –Véngase, mamasota, que aquí está su rey–. Adelina, enfurecida, volvió la cabeza. Pero ¿hacia quién, cómo descubrir al culpable entre la multitud burlona o entusiasmada?

Los carros alegóricos seguían desfilando: los Piratas en la Isla del Tesoro, Sangre Jarocha, Guadalupe la Chinaca, Raza de Bronce, Cielito Lindo, la Adelita, la Valentina y Pancho

Villa, los Buzos en el país de las Sirenas, los Astronautas con el *Sputnik* y los Extraterrestres.

Desde un inesperado balcón las Osorio, muertas de risa, se hicieron escuchar bajo el estruendo del carnaval:

—Gorda, gorda: sube. ¿Qué andas haciendo allí abajo, revuelta con la plebe y los chilangos? ¿Ya no te acuerdas de que la gente decente de Veracruz no se mezcla con los fuereños, y mucho menos en carnaval?

Todo el mundo pareció descubrirla, escudriñarla, repudiarla. Adelina tragó saliva, apretó los labios: Primero muerta que dirigirles la palabra a las Osorio, ir a su encuentro, dejarse ver con ellas en el balcón. Por fin, el carro de la reina y sus princesas. Leticia Primera en su trono bajo las espadas cruzadas de los cadetes. Alberto junto a ella, muy próximo. Leticia, toda rubores, toda sonrisitas, entre los bucles artificiales que sostenían la corona de hojalata, saludaba a izquierda y derecha, sonreía, enviaba besos al aire.

—Cómo puede cambiar la gente cuando está bien maquillada –se dijo Adelina. El sol arrancaba destellos a la bisutería del cetro, la corona, el vestido. Atronaban aplausos. Leticia Primera recibía feliz la gloria que iba a durar unas cuantas horas, en un trono destinado a amanecer entre la basura. Sin embargo, Leticia era la reina y estaba cinco metros por encima de Adelina que –la cara sombría, el odio en la mirada– la observaba sin aplaudir ni agitar la mano.

—Ojalá se caiga, ojalá quede en ridículo, ojalá de tan apretado le estalle el disfraz y vean el relleno de hulespuma en sus tetas –murmuró Adelina, entre dientes pero sin temor de ser escuchada–. Ya verá, ya verá el año que entra: los lugares van a cambiarse. Leticia estará aquí abajo muerta de envidia y yo...

Una bolsa de papel arrojada desde quién sabe dónde interrumpió el monólogo: se estrelló en su cabeza y la bañó de anilina roja en el preciso instante en que pasaba frente a ella la reina. La misma Leticia no pudo menos que descubrirla entre la multitud y reírse. Alberto quebrantó su pose de estatua y soltó una risilla.

Fue un instante. El carro se alejaba. Adelina se limpió la cara con las mangas del vestido. Alzó los ojos hacia el balcón en que las Osorio manifestaban su pesar ante el incidente y la invitaban a subir. Entonces la bañó una nube de confeti que se adhirió a la piel humedecida. Se abrió paso, intentó correr, huir, volverse invisible.

Pero el desfile había terminado. Las calles estaban repletas de chilangos, de jotos, de mariguanos, de hostiles enmascarados y encapuchados que seguían arrojando confeti a la boca de Adelina entreabierta por el jadeo, bailoteaban para cerrarle el paso, aplastaban las manos en sus senos, desplegaban espantasuegras en su cara, la picaban con varitas labradas de Apizaco.

Y Alberto se alejaba cada vez más. No descendía del carro para defenderla, para vengarla, para abrirle camino con su espada. Y Guillermo, en Boca del Río, ya aturdido por la octava cerveza, festejaba por anticipado los viejos chistes eróticos del vicealmirante. Y bajo unas máscaras de Drácula y de Frankenstein surgían Aziyadé y Nadir, la acosaban en su huida, le cantaban, humillante y angustiosamente cantaban, un estribillo interminable: −A Adelina / le echaron anilina / por no tomar Delgadina. / Poor noo toomaar Deelgaadiinaa.

Y los abofeteó y pateó y los niños intentaron pegarle y un Satanás y una Doña Inés los separaron. Aziyadé y Nadir se fueron canturreando el estribillo. Adelina pudo continuar la fuga hasta que al fin abrió la puerta de su casa, subió las escaleras y halló su cuarto en desorden: Óscar estuvo allí con sus amigos de la novena de beisbol, Óscar no se quedó en Boca del Río, Óscar volvió con su pandilla, Óscar también anduvo en el desfile.

Vio el cuaderno en el suelo, abierto y profanado por los dedos de Óscar, las manos de los otros. En las páginas de su última carta estaban las huellas digitales, la tinta corrida, las grandes manchas de anilina roja. Cómo se habrán burlado, cómo se estarán riendo ahora mismo, arrojando bolsas de anilina a las caras, puñados de confeti a las bocas, rompiendo huevos podridos en las cabezas, valiéndose de la impunidad conferida por sus máscaras y disfraces.

–Maldito, puto, enano cabrón, hijo de la chingada. Ojalá te peguen. Ojalá te den en toda la madre y regreses chillando como un perro. Ojalá te mueras. Ojalá se mueran tú y la puta de Leticia y las pendejas de las Osorio y el cretino cadetito de mierda y el pinche carnaval y el mundo entero.

Y mientras hablaba, gritaba, gesticulaba con doliente furia, rompía su cuaderno de cartas, pateaba los pedazos, arrojaba contra la pared el frasco de maquillaje, el pomo de rímel, la botella de Colonia Sanborns.

Se detuvo. En el espejo enmarcado por las figuras de Walt Disney miró su pelo rubio, sus ojos verdes, su cara lívida cubierta de anilina, grasa, confeti, sudor, maquillaje y lágrimas. Y se arrojó a la cama llorando, demoliéndose, diciéndose:

–Ya verán, ya verán el año que entra.

La luna decapitada

■

A Raymond L. Williams

Florencio Ortega se dispuso al combate. Repartió en tres columnas a sus hombres que avanzaron despacio y en tinieblas por los bordes de la cañada. Aureliano Blanquet y los restos de su tropa quedaron encerrados en un movimiento de pinzas. La medialuna ardía en el cielo color de sangre.

En 1914 Victoriano Huerta y Aureliano Blanquet, secretario de Guerra, fueron derrotados por los ejércitos de la Revolución. Desde el exilio algunos sobrevivientes del porfiriato intentaron la reconquista. Félix Díaz, sobrino del dictador, organizó en 1918 una fuerza a la que se unieron los seguidores de Blanquet. El presidente Venustiano Carranza ordenó al general Florencio Ortega liquidar a los contrarrevolucionarios.

Un ordenanza le leyó el telegrama en el cuartel de Veracruz. Florencio sintió que acabar con Blanquet significaba destruir para siempre a quienes lo enviaron a consumirse en San Juan de Ulúa, cuando en 1906 el ejército porfiriano y los *rangers* sofocaron en Cananea la huelga de la Green Consolidated Copper. Ortega tenía otra cuenta más personal con Blanquet: en 1913 asesinó al presidente Madero y al vicepresidente Pino Suárez mientras Florencio deliraba en un hospital, único sobreviviente de una carga de caballería contra la Ciudadela.

Dos soldaderas lo arrastraron entre hombres y caballos muertos o agonizantes. Cuando al fin le extrajeron las balas que tenía en todo el cuerpo, no le perdonó a Huerta el haber ordenado aquella carga: el comandante en jefe que nombró Madero acababa de pactar en secreto con el embajador norteamericano Henry Lane Wilson y con los generales sublevados Félix Díaz y Manuel Mondragón. Su propósito era destruir las fuerzas leales que el gobierno había puesto a sus órdenes.

Entre los cómplices de Huerta figuraba Blanquet. Cuarenta y seis años atrás, como soldado adolescente, Blanquet había formado parte del pelotón que fusiló al archiduque Maximiliano de Habsburgo. De él se contaba que después, en la campaña de Quintana Roo, desollaba a los rebeldes mayas y los abandonaba en la tierra quemada por el sol. Ya que Huerta había sucumbido prisionero de los norteamericanos, la venganza de Florencio iba a cumplirse en Blanquet.

Una hoguera entre la maleza delataba la presencia del enemigo. Florencio dio la orden de fuego. Al verse rodeados los felicistas se rindieron sin combatir. Sólo Blanquet intentó descolgarse por la barranca. El suelo cedió bajo sus pies y el general fue a hundirse en el lodo cincuenta metros más abajo.

El tren militar llegó a la estación de Veracruz cuando en el otro andén los pasajeros subían al Ferrocarril Interoceánico bajo el temor de que el convoy fuera dinamitado en algún puente. Florencio avanzó con un bulto de yute bajo el brazo. En la sala de espera se cuadró ante el joven general Francisco L. Urquizo, subsecretario de Guerra.

–Voy a rendirle el parte, mi general, pero le adelanto que acabamos con los felicistas en Chavaxtla. Fusilé a algunos y traigo prisioneros a muchos. Por el rumbo de Huatulco no queda uno solo. Todo salió bien. Entre los nuestros no hubo una sola baja.

–Lo felicito. ¿Capturó usted a Blanquet?

La escolta alineó a los vencidos. Urquizo se atusó impaciente los bigotes. Sonaron tres campanadas y se echó a andar el Interoceánico.

–Mi general, los derrotados no sabían nada de Blanquet. Dijeron que corrió en cuanto empezaron los disparos. Lo buscamos por todas partes y fue inútil. Por la mañana se me informó que había un cadáver en el fondo de la barranca, tan profunda y angosta que sólo podía bajar un hombre. Pedí unas sogas y ya en el lodo caminé chapoteando, agarrado a las lianas de la orilla. En seguida reconocí el cuerpo: no había nadie tan viejo ni tan gordo como Blanquet. Tuve que taparme las narices porque ya se estaba pudriendo. Como era imposible subirlo todo entero, alcé al muerto de los pelos y de un machetazo lo decapité.

Florencio abrió el bulto de yute y la cabeza de Blanquet apareció entre paños ensangrentados. El aspecto y el hedor horrorizaron a Urquizo. El subsecretario no pudo sino retroceder unos pasos. Florencio pensó que el cuerpo de Blanquet seguiría corrompiéndose en la barranca. Entregó el despojo a su ordenanza. Urquizo dio instrucciones para que lo llevaran a un embalsamador. En vez de elogiarlo, como esperaba Florencio, le recriminó:

–¿Para qué todo esto? No había necesidad de llegar a los extremos.

–¿Y luego, mi general? ¿Cómo iba usted a estar seguro de que había muerto Blanquet?

–Bastaba su palabra.

–Pero, mi general, con todo respeto, mejor es una prueba. Así no queda duda. Cumplí con lo que me ordenaron usted y don Venustiano.

Al día siguiente, mientras desayunaba en el Café de La Parroquia, Florencio pidió a su ordenanza que le leyera los periódicos. Les costó trabajo hallar en páginas interiores la noticia de su hazaña: las primeras planas se dedicaban a celebrar la muerte de Emiliano Zapata, asesinado por órdenes de Carranza en la hacienda de Chinameca.

Así como en Cuautla se exhibió el cadáver de Zapata, en Veracruz quedó expuesta la cabeza de Blanquet. Don Venustiano ansiaba disipar cualquier duda acerca de su doble triunfo. En ausencia de Urquizo, Florencio dejó que humeara un puro en la boca ya inmóvil y se fotografió junto a la prueba de su victoria. Más tarde se enteró de que él y Jesús M. Guajardo, el que emboscó a Zapata, tendrían ascensos y recompensas.

–¿Entiende usted? –dijo Urquizo mientras paseaban por el muelle–: Fue un salvajismo indigno de un militar constitucionalista. Lejos de estar deshechos, los felicistas nunca habían atacado en esta forma. Mire este parte: a un oficial de los nuestros le cortaron la cabeza en San Andrés Tuxtla. El cuerpo llegará dentro de unas horas. ¿Quiere verlo?

–No me interesa, mi general. Lo único que me importa es pegarles de nuevo. Si tanto les impresionó lo que hice han de tenerme mucho miedo.

–Florencio, lo siento y me da un poco de vergüenza, pero no puedo resistir la curiosidad: dígame qué se propuso al mutilar a Blanquet.

–Verá usted, mi general: para celebrar el triunfo me tomé, con su perdón, unas copas de habanero. Cuando bajé a la barranca andaba un poco bebido y me acordé de algo que me enseñaron en mi pueblo: hay noches en que la luna no tiene cabeza: su hermano se la corta porque la luna quiere dar muerte a su madre.

–Coyolxauhqui, la luna decapitada... Sí, en la Preparatoria me hablaron de eso. O más bien lo leí después en un libro de leyendas mexicanas. ¿Lo conoce usted?

–No, mi general, todavía no aprendo a leer. Cuando iba a entrar en la escuela vino la huelga de Cananea y me encerraron ahí enfrente, en el castillo de San Juan de Ulúa. Después no he tenido tiempo, no he dejado de combatir desde 1910.

Urquizo y Florencio seguirán conversando junto al mar. La brisa nocturna alejará el calor del día. El ordenanza llegará con otro telegrama del presidente. Volverán al cuartel a preparar la nueva ofensiva. Muerto Zapata, sólo quedaban los felicistas en Veracruz y en el norte Pancho Villa con los restos de lo que había sido la División del Norte.

–Villa –comentó Urquizo– no representa ya ninguna amenaza. Nunca volverá a salir de sus montañas y sus desiertos, aunque en ellos también es invencible. Como usted sabe, el mismo ejército norteamericano fue incapaz de encontrarlo.

–Sí, mi general, pero ¿qué va a pasar ahora que ha terminado la Gran Guerra?

–Los Estados Unidos presionarán a don Venustiano para que acabe con Villa como liquidó a Zapata. Florencio, en la Revolución como en toda guerra se mata o se muere, no hay otro remedio. No me gusta pero así es. Yo preferiría que hubiera paz. Lo que de verdad me interesa es hacer libros.

El general Urquizo salió de la estación y enfocó sus binoculares. El polvo de la llanura se levantaba en remolinos. La columna expedicionaria volvía al parecer sin demasiadas bajas. Florencio se adelantó a sus hombres y, sin desmontar, se cuadró ante el subsecretario.

–Les dimos otra vez, mi general. Ahora sí están perdidos. No pasa mucho tiempo sin que se rinda el mismo Félix Díaz. Mire, le traigo un regalito.

De un saco de lona Florencio extrajo una cabeza sangrante. Sus rasgos se habían congelado en una mueca de horror.

–Bájese del caballo para hablarme–. Urquizo retrocedió como en el andén de Veracruz. Indignado, se golpeó las botas con el fuete–. Ya es tiempo de desasnarse, Florencio. Si vuelve a actuar en contra de mis órdenes lo someteré a consejo de guerra.

–¿Estuvo mal? Perdone usted, creí que le iba a hacer gracia después de lo que conversamos el otro día sobre la luna decapitada. Bueno, le aseguro, mi general, que no se repetirá.

Florencio arrojó la cabeza entre las vías del tren. Volvió a montar y se alejó. En el andén los soldados disponían a los heridos para que los atendiera un médico de campaña. Urquizo entró en la oficina destartalada. Ante el escritorio del telegrafista sacó punta a su lápiz y empezó a escribir en un cuaderno con tapas de hule.

–Qué curioso. De modo que hace veinticinco años usted también anduvo en la lucha contra los felicistas. Debemos de habernos visto entonces ¿no le parece?

–Es posible pero entonces éramos jóvenes. En cambio ahora...

–Para mí, como si fuera ayer. No en balde se pasa tanto tiempo en el destierro.

–¿Por qué le tocó el exilio?

–En 1920, cuando vi que Obregón se iba a levantar contra Carranza, no estuve dispuesto a matar a mis compañeros de armas. Lo pagué muy caro: tuve que huir a los Estados Unidos y trabajar doce horas diarias en una fábrica de salchichas. No se imagina qué asquerosidad. Me volví vegetariano. Con eso le digo todo. Acabo de regresar, aprovechando la amnistía. Estuve en la Revolución desde el principio, quiero que reconozcan mi antigüedad y me quiten el cargo de desertor por eso trato de ponerme al día. En tanto tiempo, ¿lo creerá usted?, no hubo nadie que me escribiera cartas ni me mandara periódicos. Como se imaginará, me gustaría preguntarle qué se hizo de Florencio Ortega.

–Ah, mi general Florencio Ortega. ¿Será posible que usted no sepa la historia?

–Ya le digo, estuve lejos y apartado de todo.

–Bueno, pues le cuento. En 1920 Florencio, como tantos otros, cambió de chaqueta. Se unió al levantamiento de Obregón y Calles y atacó el tren en que Carranza intentaba llegar de México a Veracruz.

–Entonces fue responsable del asesinato de don Venustiano en Tlaxcalantongo.

–No directamente pero su traición ayudó a que mataran al Primer Jefe. Tanto es así que apenas llegado a la presidencia Obregón le pagó el favor: lo nombró jefe de la guarnición de la capital y sobre todo le dejó manos libres para los negocios.

–¿Se hizo rico?

–Millonario. Me acuerdo de su casa en el Paseo de la Reforma. Acaban de echarla abajo para hacer una agencia Ford. Dicen que fue de un hijo natural de don Porfirio. Yo nomás la veía de lejos. No entraba por miedo de ensuciar las alfombras. A veces me ponían de guardia y desde la puerta escuchaba el desmadre que hacía Florencio con las tiples del Teatro Lírico y las coristas del Principal. Quién sabe cuánto se gastaba nada más en champaña que, por cierto, nunca le gustó.

–Jamás lo hubiera imaginado. ¿Florencio en un palacio de la Reforma? ¿Él, que odiaba a los ricos y los culpaba de todos los males de México?

–La gente cambia. A Florencio se le subieron a la cabeza sus triunfos militares y se volvió ambiciosísimo. Pretendió que Obregón lo nombrara secretario de Guerra para trepar de allí a la presidencia. Alegaba que él era el pueblo y había estado en la Revolución años antes de que sonara el nombre de Madero.

–Eso es muy cierto y ni quien se lo quite.

–Sí, pero Obregón se rio de él. Desde un principio había decidido que lo sucediera en la presidencia el general Calles y no era hombre que tratara de quedar bien con todos. El Manco le hizo ver a Florencio que era muy bruto y muy inculto: el único general que con la paz no había aprendido ni el abecedario.

–¿Y cómo respondió él?

–Salió bufando de Palacio Nacional. A la siguiente recepción en Chapultepec no lo invitaron. Un lunes le avisaron que estaba en disponibilidad. Hecho una fiera fue a ver al Presidente. En el Castillo le dijeron que acababa de salir; en Palacio le cerraron las puertas. Florencio se tragó la humillación, esperó de pie en el Zócalo y cuando salió el Manco, se abalanzó sobre el coche presidencial como si fuera a pedir limosna. Obregón no lo invitó a subir y delante de la guardia, compuesta por sus propios soldados, no le habló de tú ni le dijo "Florencio", como siempre, sino "usted, Ortega".

–¿Lo destituyó?

–Destituirlo y no nada más ponerlo en disponibilidad hubiera sido un buen castigo por sus abusos, escándalos y raterías. Sin embargo, a Obregón no le convenía echarse otro enemigo como él, pues Florencio no iba a tardar en irse al monte. Ya casi todos sus viejos amigos y subordinados estaban en contra del Presidente. Quedaban pocos buenos generales en quienes confiar. Porque eso sí, usted debe acordarse, Florencio no era un oficialito de escritorio: a matón y aventado sólo Pancho Villa le ganaba. Él también se pintaba solo para las cargas de caballería.

–Eso ni hablar, nadie se lo discute.

–Y entonces, aunque usted no lo crea, a Obregón, que era una bala para todo, se le fueron las patas y en vez de hacer lo que don Porfirio: mandarlo a Europa a estudiar los posibles efectos del clima de los Alpes sobre la infantería mexicana, o alguna comisión así de absurda, lo nombró jefe de las operaciones militares en Veracruz.

–¡Hágame el favor! Ya me imagino lo que pasó.

–A los pocos meses se levantó en armas para apoyar a Adolfo de la Huerta en la sucesión presidencial de 1924.

–Pero lo derrotaron.

–Claro, se le olvidó con quién se estaba metiendo. Obregón era un águila, el único general mexicano que jamás perdió una batalla.

–Y mire lo que son las cosas: a manos de qué clase de gente vino a morir, válgame Dios.

–Sí, pero lo que pasó en 1923 es que Florencio ya no sabía pelear. En tan pocos años la capital se lo comió. Estaba gordo y como atontado. El caballo lo incomodaba después de andar en puro Citröen. Ya no soportaba ver sangre ni cuerpos destripados por la metralla.

–¿Ni siquiera tuvo oportunidad de hacer una buena despedida de las armas?

–Obregón no tardó en hacerlo pedazos. Florencio, insisto, ya no era el mismo de su buena época. Además no tenía atrás, como en 1919, todo el gobierno para hacerlo fuerte. Sus tropas, vencidas en escaramuzas y emboscadas, no tuvieron oportunidad de presentar combate en campo abierto, allí donde Florencio era invencible con sus cargas de caballería. Acabaron por odiarlo y pasarse al otro bando en cuanto pudieron.

Fue una lucha inútil, una rebelión sin cabeza. Adolfo de la Huerta es una persona buena y honrada, no un militar y mucho menos un caudillo. Sufrió mucho al ver que por su culpa morían uno tras otro los mejores hombres de la Revolución: Salvador Alvarado, Rafael Buelna, Manuel M. Diéguez... Entretanto Obregón tomaba personalmente el mando del ejército y volvía a la guerra con la misma destreza con la que venció a Villa ocho años atrás.

–¿Y en qué acabó Florencio?

–No se ha sabido nada en firme. Dicen que ahora en 1944 lo han visto vendiendo agujetas en los portales de Puebla. Otros cuentan que se aparece en sesiones espiritistas. Por mi parte, creo que ya murió.

–Es lo más probable. Si no estaría bien parado. Ya ve usted que en este régimen de Ávila Camacho todos engancharon, a nadie se le guardó rencor por nada.

–Todos menos nosotros, los auténticos veteranos de la Revolución.

–Ya se nos hará en el próximo gobierno si, como todo el mundo cree, don Maximino se queda en el lugar de su hermano. Bueno, le agradezco mucho sus datos. Espero que nos veamos otra vez.

Montado en un caballo agonizante Florencio Ortega se acerca a las ruinas calcinadas de una hacienda. Entre las piedras hay hiedras muertas y magueyes secos. Desmonta. Entra en lo que fue la casa grande, ahuyenta las ratas, tiende su capote, se arroja al suelo y en un instante queda dormido.

Cuando despierta ya es de noche. Se oyen el viento lúgubre y el grito de los búhos. Hace frío. Florencio se levanta, tiembla y sale al páramo en que antes crecieron los magueyales. Tropieza, cae, intenta levantarse, repta hasta un charco al que la luna muerta arranca destellos de pedernal. Se mira en el agua y ve sobre su cara los ojos en blanco, el cabello sucio, la boca abierta, los dientes rotos, la cabeza amarillenta de Aureliano Blanquet. Grita, intenta arrancarla de su cuerpo. La cabeza sigue inmóvil y los alaridos de Florencio no logran que se muevan los labios.

Entonces Florencio escucha el rumor de las caballerías sobre la tierra que se nutre de sangre. Siente que lo persiguen esqueletos armados. Se pone de pie, comprende: está en las nueve llanuras del Mictlán entre el viento cargado de navajas que hieren a los muertos. Y sabe que en esa oscuridad en donde no hay tiempo, bajo la luna decapitada por Huitzilopochtli, ha de buscar la barranca en que sus restos siguen pudriéndose en el lodo y descender al sitio del infierno en que los fantasmas de los soldados muertos tendrán que derrotarlo, hundirlo en el abismo y arrancar su cabeza.

Virgen de los veranos

■

A Marcelo Uribe

–Yo, señor –dijo Anselmo–, soy de la Candelaria de los Patos, en la mera capital. No por verme aquí crea usté que trata con un pobre indio bajado del cerro a tamborazos. Nací en la gran Ciudad de México, y a mucha honra. Si usté me encuentra en este lugar, es gracias a la Santísima Virgen, verdá de Dios.

El sol quemaba la tierra seca y los maizales a punto de quebrarse, pero los que rezaban cerca de la choza parecían no sentir el calor. Anselmo prendió el cigarro de hoja, recargó la silla contra el muro de adobes, me clavó la mirada y empezó su narración.

–Dizque fue Aurorita la que primero vio a la Virgen. Una mañana, al cruzar la huerta, halló la aparición en el tronco de un árbol del paraíso. Quesque corrió a decirle a su esposo: "Se me acaba de aparecer la Santa Madre del Cielo". Lorenzo llamó a los ejidatarios pa que fueran testigos del milagro. No sé bien cómo estuvo. El caso es que cuando llegué la gente de los alrededores tenía meses de venerar a la Virgencita.

–Y usted ¿cómo se enteró?

–La historia es un poco larga. Ya que insiste, se la cuento, mi amigo. Al fin y al cabo usté no puede andar de hocicón chivateándome con la autoridá porque también ha de tener sus pendientes, si no qué carajos andaría haciendo por aquí.

Bueno, pus sepa usté: caí por esos rumbos porque en San Mateo Totoloapan maté a un fulano. Todo por un pinche pleito de cantina. Estábamos tranquilos, jugando una manita de dominó y echándonos nuestros tequilazos. De chiripa yo las tenía todas conmigo y empecé gane y gane. El tipo no daba una ni de faul. Entonces, de puro coraje, inflaba y inflaba: entre juego y juego él solito se enjaretó casi un litro de agua de las verdes matas, / tú me tumbas, / tú me matas, / tú me haces andar a gatas. Y eso que era el jefe de la policía y estaba en su pueblo y entre sus cuates.

Sobre las dos, tres de la mañana ya le había ganado al muy ojete como unos ochocientos varos. Me dije pa minterior: "Achismiachis, ya está incróspido: no tarda en alebrestrárseme". Luego luego me levanté pa despedirme cuando ¡újule! que me jala y que se para y me vuelve a sentar de un chingadazo. ¡Poninas, dijo Popochas! ¡Vamos a ver de a cómo nos toca!

Lo dejé seco de un gancho al hígado. Y el méndigo que rueda por los suelos, se medioalza, saca la pistola y dispara con mano tembeleque. Tuvo tan buena puntería el pendejo que le dio en la cabeza a un pobre mesero. Así no se vale, compadre. Yo no traía nada pa defenderme. Pero como no andaba cuete, aunque también le había metido duro al néctar de los dioses, en vez de agorzomarme agarré el chafarote con que habíamos estado partiendo los limones pal tequila, le di por doquier, y lo demás pos ya se lo imagina: el güey ese cayó redondito a dar un chapuzón en su propia salsa. No ha nacido el hijo de la chingada que me ponga la mano encima, verdá de Dios.

Los babosos que pisteaban con él se quedaron de a seis, nomás viendo la desangradera por todas partes. No hicieron ni fintas de apañarme, y ni modo de llamar a la chota porque el dijunto era lo único que había en ese pueblito móndrigo. Entonces me dije pa mis adentros: "Ándale, Anselmo, cuélate: te echaste al plato otro cristiano. No te vayan a entambar una vez más". Y a toda mecha me pelé en segundos. Debo confesarle que el despanzurramiento del genízaro no fue tan limpio como mi mayor gloria: en Puente de Vigas le saqué el mondongo de un solo tajo a Pollo Crudo, pistolero famoso. Todo porque el cabrón insultó a mi santa madrecita, que Dios Nuestro Señor tenga en su gloria. Y eso no se lo perdono ni al rey de Roma que por la puerta se asoma.

88

Al día siguiente, trepado en un arbolote, vi pasar a unos juanes de a caballo. Segurolas que andaban tras mis güesos. No por ganas de hacer justicia –total: uno menos qué le hace, qué más da que otro fierrazo quede implume–; sólo porque el difunto era medioimportantón y a lo mejor hasta pusieron recompensa. De todos modos se mizo raro que en vez de tecolotes mandaran guachos a perseguirme.

Me valió conocer tantos atajos y veredas porque en mis buenos tiempos fui merolico y vendí chucherías por esos lugares tan dejados de la mano de Dios. Lo más durazno fue andar a pata por unas tierras tan desiérticas. Era la canícula y en esta época ni aquí ni allá cae una gota. Pa seguir adelante tuve que tragarme el agua puerca de los arroyos mediosecos. De puro milagro no agarré paludismo, disientería, cólera, dengue, vómito prieto, alguna de esas jodidas enfermedades. Por lo visto he comido y bebido tanta mierda que ya ando impunizado, sí señor.

–¿Y qué pasó por fin: lo aprehendieron?

–¡Nhombre, qué va! Ultimadamente hasta los pinches sardos me la pelaron ¿no? En México siempre hay un chorro de crímenes y pronto nadie se acuerda. Una semana después ya andaba fregadísimo, sin cacles, con la ropa hecha cisco, lleno de lastimadas y magullones, todo barbón y oliendo a cacomixcle.

Cuando estaba a punto de alzar los tenis, figúrese usté, una tarde vi al fondo de un llano la milpa, la veleta, el caserío y los árboles de la huerta. Me acerqué con precauciones, quién quita y por ai todavía me anduvieran cazando sardos y cuicos. Un viejito salió de su jacal, me invitó a pasar y me preguntó por qué andaba tan zarrapastroso.

Le conté puras habas: quesque me desmadraron pa robarme la maleta con relojitos, plumitas, lapicitos, polveritas, coloretes, pintalabios, hojitas de rasurar, jarabes pa la tos, ungüentos pa piquetes de moscos y chingaderas de ésas. Y luego, por ser fuereño, no supe hallar el rumbo.

El ruco se tragó todas mis largas. Me dio agua fresca del pozo, tortillas, frijoles y chile pa hacerme unos tacos. Eran sobrinas de su tentempié pero el favor se agradece de todos modos ¿no? Andaba ansioso el viejales por hablarme del Grandísimo Milagro, de la Santísima Virgen que se había aparecido en el árbol del paraíso porque ya el fin del mundo estaba cerca, nuestras guerras, crímenes y pecados carnales iban a adelantar el Juicio Final. Y entonces Dios quería probarnos, ver nuestra fe en su Santa Madre.

Iba a contestarle al vejarano, don Jesús se llamaba, que no fuera babotas, que el padre García Guerra –un curita gachupín, coloradito él, de esos que hablan rechistoso pero que se las saben todas– me enseñó, cuando fui sacristán en Cuernavaca, que no creyera en las mentadas apariciones: son puritita supertición que Dios castiga, brujerías o figuraciones de los inorantes. O mejor dicho, son puro cuento de vivales pa joder todavía más a los que ya de plano están jodidos... Pero tantié que no debía perder una oportunidá de esconderme y mice el que creyía y, como quien no quiere la cosa, seguí el hilo.

Parece que estoy oyendo al huehuenche. Sólo le ponía atención por el gusto de ver a alguien después de andar tanto tiempo solo y mi alma con mi cabrona conciencia. Don Jesús se entusiamó reteharto. Quería hacerme sentir el muy güey que yo tenía el honor de estar con el mismísimo Juan Diego.

Pero, eso sí, se acomidió el viejales: puso agua a la lumbre pa mi manita de gato, me emprestó jabón de lavadero y una yillé del año del caldo. Quedé limpio y sin barbotas. Luego el chopas me dio ropa de la suya. Así, todo sombrerudo y de calzón blanco, don Jesús me llevó a ofrecer mis respetos a la Santísima Virgen y a presentarme con los que habían sido sus patrones antes de la cabrona Reforma Agraria.

Al ver la cantidá de indios que rezaban me dije pa mí solórzano: "Ora sí ya chingastes, pinche Anselmo. Esto se puede poner muy bueno". Me acerqué al altarcito. Había un montonal de flores y veladoras y un letrerote: SE PROIBE TOCAR A LA VIRJEN. Pa que no le diera el sol pegaron a las ramas unos como techitos de palma. Entonces me puse trucha y, con cara de borrego degollado, minqué a rezar en voz alta pa que vieran cuántas benditas oraciones me sabía en español y en latín. En latín, figúrese usté, la lengua de la Santa Madre Iglesia, sí señor.

–Disculpe: ¿cómo era la Virgen?

–Ah pus un poco tosca, perdonando la expresión. Lorenzo la talló a navajazos en el tronco del árbol del paraíso y luego la pintó de colores muy furris, a toda velocidá y en la oscuridá de la noche, pa que nadie lo madrugara y antes de empezar los títeres se le cayera todo el teatrito.

Se daba un aigre a la Virgen del Carmen, onque la túnica y la corona eran más bien como de Nuestra Señora de Guadalupe. Pero eso es lo de menos: a usté le dicen que se apareció la Madre de Dios y, si tiene fe, se lo cree todo y hasta mira lo que otros no ven, me canso que sí.

Ai en la huerta Aurorita había montado un tenderete de veladoras, cirios, estampitas y milagritos de oro y plata. Junto al árbol taban dos botes grandes de hojalata pa que los creyentes echaran la morralla y a cambio recibieran indulgencias. Como al ojo del amo engorda el caballo, Lorenzo y Aurorita no se movían del altar y todo el tiempo rezongaban: "Una limosna para el Santuario de Nuestra Milagrosa Virgen del Árbol del Paraíso. Un óbolo para la edificación de su capilla. Dé lo que sea su voluntad. Nuestra Señora se lo multiplicará con bendiciones".

Si algún cuate, una muchachilla o una vieja beata querían seguirse de largo sin aflojar la lana, Lorenzo y Aurorita les recordaban su deber de pagar entre todos el templo que debían levantarle a la Virgen. Quien no cumpliera con sus Sagrados Deseos no recibiría su Bendición, liba a ir mal en la cosecha, no encontraría marido o seguiría maltratada por su esposo. Y luego, al estirar la pata, derechito al fuego eterno.

–¿Y usted qué hizo?

–¿Yo? Pus afilé las garras y, onque andaba todo fachoso y comido por los piojos como cualquier animal, me dejé caer hincado, con los brazos en cruz y los oclayos en blanco, recitando la Manífica y echándome uno que otro Oremus o un Miserere.

Y en eso estaba cuando apareció una señora con harta lloradera pa dar las gracias por un favor recibido. Tras ella iba, arrastrando muletas, un joven con un retablo acabadito de pintar y un milagrazo de oro que fue a prender en el manto azul a los pies de la Virgen. Se hizo un griterío y no alcancé a oyir casi nada. Parece que el vejestorio iba a agradecerle a Nuestra Señora la salvación de su hijo, tullido en un temblor o en un derrumbe de los cerros. Los dos se pusieron tan emocionados que ya merito les da un telele.

Entonces un pobre indio mecapalero se acercó a decirle a Lorenzo que, si la Virgen era tan milagrosa, había que avisarle al Señor Obispo como Dios manda. Lorenzo tiró a lucas al metiche y nos apantalló con su respuesta:

–La Santísima Madre del Salvador le ha dicho a mi señora esposa, su intermediaria, que no quiere saber nada de curas hasta que no tenga su capillita.

Lo hubiera usté oído. Qué bruto, cómo se adornó el cabrón al decir eso. Parecía como si él fuera el mismísimo Papa que acababa de hablar con la Virgencita. Verdá de Dios, admiro a Lorenzo sólo por aguantarse la risa ante todas las babosadas que inventaba pa engatusar a los pendejos.

Desde luego mi personalidá les llamó la atención a Lorenzo y Aurorita. Le ordenaron a don Jesús que me llevara a la casa grande pa conocerme. Qué diferencia con el jacal del chopas:

planta de luz eléctrica, fosa ascética, tina de baño, indoloro, lavabo, sala, comedor, buenos cuartos, camas en vez de petates, mesa de roble, despensa llena, estufa de petróleo... Pa qué le cuento.

Lorenzo tenía una cara de jijo de puta que todavía le estoy viendo. Muy relamido, muy sangrón, pelo patrás y más envaselinado que el carajo, bigotito de charro montaperros, patillotas. Aurorita no era lo que se llama un cuero: estaba buenona, entrona, onque un poco gordales, y ya se veía muy aplaudida. (A lo mejor antes de casarse ruleteaba.) El caso es que los dos piojos resucitados se sentían la divina garza envuelta en huevo. Sólo por ser más blanquitos los cabrones querían demostrarles a los demás que eran una manada de indios pazguatos.

Eso sí: nomás oyeron mi jarabe de pico y calaron con quién estaban tratando. Me canso ganso, cómo carajos no. Andaba vestido de totonaco pero a leguas se me notaba que venía de la Gran Capital y no era un pinche campesino inorante, de ésos a los que con todo y la Revolufia ellos seguían tratando a patadas como endenantes.

Lorenzo y Aurorita me miraban con cara de "¿y éste de dónde salió?" Les conté que me llamaba Ulalio Domínguez, nombre de mi abuelito que en paz descanse, y repetí el mismo cuento: vendedor de chingaderas, desmadrado por ladrones, perdido en esas tierras sin agua.

Como se imaginará, no les dije que me buscaban por asesinato ni que pasé mis buenas temporadas en la Penitenciaría del Distrito, más conocida como el Palacio Negro de Lecumberri. Hicieron como que apechugaban con todas las papas que yo de a tiro les estaba inventando. Le dijeron a don Jesús que fuera a ver cómo les pintan las rayas a los tigres y, cuando ya se habían ido todos los fieles, cerraron las entradas a la huerta y me invitaron a cenar.

Qué bien jamamos, caray: sardinas, aceitunas, atún, jamón

serrano, cebollitas en vinagre, lomo, huevos con chorizo, queso de bola, pan blanco, cerveza, frutas en almíbar, café, brandy español. Todo me supo a gloria después del hambre y de los frijoles con gorgojos, las tortillas duras y el agua llena de submarinos que me había dado mi amigo el carcamal. Otra vez me dije pa mis adentros: "Pinches rateros, hijos de su pelona: Están haciendo el negocio de su vida pero se van a encontrar la horma de su zapato. Me cae que sí".

Pa semblantearlos y como por no dejar, cuando ya estábamos con unos tragos entre pecho y espalda, les solté: "Fui monaguillo y sacristán. Hice votos de pobreza y castidá. Iba a entrar al seminario cuando vino la persecución religiosa y cerraron todas las iglesias. El padrecito García Guerra me enseñó a decir misa y a hablar cantando: Miserere. Páter nóster. Dóminus obispus. Requiéscat in tentationem. Ipse nobis caritate, salutate. Laudamus ómnibus viventus, trenis angelórum. Ora pro nobis, sicut pájarus et ovis. Dies irae, dies irae, Sanctus Filius de sum Mae. Oremus".

Soy tan inteligente, ya ve usté, que aprendí bien latín nomás oyendo al cura. Lorenzo y Aurorita quedaron apantalladísimos con mi canturreo. Al ver que quien con toda humildad se les había presentado como un pobre vendedor ambulante era persona culta y gente de Iglesia, me pidieron que me quedara con ellos pa guiar el Rosario, tratar con los devotos, sacarles sus donativos y echar un ojo al bote de las limosnas y al puesto de milagritos y veladoras.

"¿Cuánto quiere ganar al mes?", preguntaron. De puro aventado les contesté: "Mil pesos". Onque ora suena ridículo, no se imagina usté lo que eran mil del águila en aquella época. Y yo que los veía tan pichicatos y cuentachiles como todos los patrones a los que la Bola les dio en la madre, me llevé la sorpresota de que me contestaran: "Oquey". Híjole, cuate: qué no estarían sacando los muy malditos a costa de tantear a puro muerto de hambre pa darse el lujo de descolgarse con mil chuchulucos pa su conlaborador.

–Será co-la-bo-ra-dor.

–No sea maje: yo hablo requetebién porque oigo radio y leo *La Prensa*, el *Esto* y el *Magazine de Policía*. Y en cuanto llegue la televisión me compro mi aparato. ¿A poco cree que nomás usté solito fue a la escuela? Es "conlaborador" porque se dice "conlaborar con". ¿No es cierto?

Total, como liba diciendo, ai don Chuchales, que hasta eso era muy buena gente, mizo un ladito en su tejuil. Se portó bien el ruco, lo que sea de cada quien. Lástima que todo el tiempo yo anduviera con el alma en un hilo porque su único hijo le salió bien raro. A cada rato andada toqueteándome: "Ay qué brazotes tan fuertes, qué manotas, qué cuello de toro". Yo estoy seguro de que a ese firuláis le hacía agua la canoa, cachaba granizo, bebía arroz con popote y le gustaba la Coca Cola hervida.

Me daban risa unos versos que le compuso la malvada de Aurorita: "El viejo gacho / tiene un muchacho / que no se sabe / si es hembra o macho". Pero a él lo mantuve a raya a base de coscorrones y, como soy medioquerendón y bien labioso, me volví cuate de los demás ejidatarios. Me agarraron confianza y yo, que tengo concha, pus nomás me acuadrilé pa dejarme querer y nunca saqué las uñas. También frente a Lorenzo y Aurorita yo siempre navegaba con bandera de pendejo.

–¿Le contaron la verdad?

–Ah no, ni una palabra. Teníamos cosas de las que no se hablaba. Cerré el hocico, ellos también, y todos contentos. Les entregaba las cuentas y las limosnas completitas y ni siquiera cuando me tocaba pasar la charola o llevar el bote de hojalata a la casa grande me clavaba centavos. Lorenzo y Aurorita me agarraron fe; creyían que de verdá era medio eclesiástico; mis latines como que le daban mayor seriedá al culto de la Virgen y los dos estaban seguros de que con tan buen sueldo yo no tenía razón de avorazarme. No calaron que quien nace pa geranio siempre encuentra su maceta.

Además, aquí entre nos y muy en confianza, le diré que cuando Lorenzo siba en su fotingo a cambiar los fierros por billetes grandes pa guardarlos en la caja fuerte porque no les tenía fe a los bancos, yo me cobraba horas extras dándole vuelo a la hilacha con Aurorita. Era bien cachondísima y hasta se me afigura que Lorenzo, pese a su juventú, pus nomás no paraguas. El caso es que Aurorita andaba urgida de un tarzán bien puesto que le midiera el aceite y se encontró con su rey.

Ay, mi carnal, no lloro, nomás me acuerdo: en aquellos tiempos yo no andaba tan tirado a la calle. No era muy tipo que digamos pero todavía estaba medio jovenzón, no cargaba esta panzota de pulquero que ora me boto, ni esta papadóuer, ni estas arrugotas, ni estas patrullas de gallo. Lo único que me queda son las ganas, pero a lo macho que no faltan viejas que anden por ai suspirando pa que yo les haga el favor.

Ésa sí era vida ¿no?: chamba a toda madre y buti cachuchazo. Ai me las den todas. Ai sí se les acaba lo orgullosas a las cabronas. Frente a su marido bien altiva la muy jija. Nomás sobajándome como a los pobres indios y mandoteándome paquí y pallá como si de verdá fuera su gato. Pero cuando le daba pa sus tunas vaya que se le bajaban los humos y puro "más, papacito" y "más, papacito".

—Oiga, pasando a otro asunto: ¿el gobierno estatal no mandó a investigar qué estaba ocurriendo?

—Ni se la olieron los muy tarugos. O si sabían, se hicieron pendejos. Porque acababa de pasar la guerra cristera, se habían firmado las paces con la Iglesia y después de tantos muertos lo mejor era hacerse de la vista gorda con los católicos. Igual siguen ahora. Si le mueven se puede armar otro desmadre de los mil demonios... Onque pensándolo bien, se me hace que Lorenzo tenía palancas con los meros meros.

Quién quita y se había arreglado hasta con el gobernador y le pasaba su corta feria. Bueno, pus pa no hacerle el cuento largo, la Virgen se volvió cada día más milagrosa. La indiada de por ai dejó de ir a las iglesias pa venirse nomás al rancho.

–Y los curas ¿no protestaron?

–Qué va. Le sacaban coyonamente al asunto o a lo mejor también creían en el milagro, sabrá Dios. El caso es que la aparición pegó con tubo. Corrió tanto la fama de la Santísima Virgen del Árbol del Paraíso que los domingos venían hasta familias decentonas de los lugares importantes. Y eso que no había carretera ni nada por el estilo, sólo una brecha de arrieros tan piedregosa que los carros se desconchiflaban a cada rato. Lo que es la fe, compadre: nadie se olió el tejemaneje porque la Virgen los curaba de sus males, hacía volver a los hijos ausentes, les hallaba trabajo, les iluminaba el coco pa encontrar ojetos perdidos. Ai sí que sólo Dios sabe. Yo en asuntos de religión soy muy respetuoso.

–¿No le remuerde la conciencia por haber engañado a tanta gente?

–No la chingue, mi cuate. La conciencia no se come. Yo tenía que sacar de algún lado pal pipirín. Además, si los fieles quedaban tan satisfechos, ¿yo qué daño les hacía? Antes al contrario, deberían agradecerme que los ayudara a sentirse bien y a resolver sus problemas.

Bueno, se dará idea de cuánta gente iba a pedirle o a agradecerle favores a la Virgen con que le diga que, a los tres meses de mi llegada, los retablos casi tapaban los árboles de la huerta, los milagros ya no cabían en el altarcito y antes de mercarlos los empacábamos en la alacena de la casa grande. Los más corrientes los revendíamos ai mismo, pos ni madres de que alguien se diera cuenta. Los de oro y los especiales, Aurorita si ba a México a venderlos al chas chas ajuera de la Basílica. Qué agusada ¿no?

Lo que más me gustaba era ver y leer los retablos. En uno de ellos la Virgen detenía una locomotora y salvaba al borracho caído entre los rieles, el mismo güey que luego mandó pintar el cuadrito. En otro, ayudaba personalmente en un parto difícil. En el de más allá agarraba a un torazo por los cuernos pa que no despanzurrara a un matancero. De veras que hay que tener fe en la Fe, mi amigo. Me hubiera encantado retractarme con todo aquello. Sería padrísimo poder mostrarle a usté una foto mía con la Virgencita. Además, de haber sabido pintar, sólo con los retablos me hago rico. Llegaban chorromil todos los días.

Claro que por entonces la cosa estaba que ni mandada a hacer pa la aparición de la Virgencita. Muchas iglesias del campo seguían serruchas. La gente llevaba años sin tener a quién rezarle de bulto. Todo andaba hecho bolas. Acababan de parcelar las haciendas. Lorenzo y Aurorita se quedaron sólo con el casco de lo que fue la propiedá de don Lorenzo padre. Imagínese usté, después de tantísimos años de guerra y reboruje, siglos y siglos en que no tuvieron ni en qué caerse muertos, de la noche a la mañana los peones se habían vuelto ejidatarios y eran dueños de las tierritas que antes trabajaban pal patrón. Nadie los mandó a la escuela y no sabían pa dónde agarrar. Y cuando menos lo pensaban que se van encampanando con una Virgen que se les aparece, los aconseja, los ayuda en su cabrona vida que sin Revolución o con Revolución ha estado siempre del carajo.

—¿Eso cree usted?

—No, es más o menos lo que luego dijeron los periódicos. Sea como sea, las cosas nos estaban saliendo tan a toda madre que yo, que me pinto solo pa las corazonadas, me decía: "Fíjate bien, Anselmo, ándate con cuidado que esto no dura mucho. Un día va a salir todo el enjuague". Ai sí que ni modo. No hay bien que dure cien años y tanto quería el diablo a su hijo que hasta le sacó un ojo.

–Sí, sí, pero ¿cómo acabó todo el asunto?

–Pérese, pérese. No coma ansias, mi amigo: agárrese con veinte uñas que ora viene lo más emocionante. No creo que nunca se me olvide la pinche tarde en que Lorenzo agarró su fotingo y se fue a Puebla a comprarse un carro nuevo, nada menos que un Packard último modelo.

Puse a don Jesús a que le echara ojo al changarro, fui a darle gusto al cuerpo, me abroché bien a Aurorita, la dejé en su nidito de amor cansada pero contenta y volví a plantarme como estuata junto al árbol del paraíso. Y ai estaba muy quitado de la pena cuidando las limosnas, echándome de vez en cuando un Oremus o un Miserere, cuando vi nubarrones por las montañas. Mice guaje. Pensé: "En esta tierra tan seca nunca llueve en verano. Aquí no ha caído una gota ni en cien años. Aquí el agua sólo se encuentra bajo tierra".

Dónde miba a imaginar que de repente ¡cuas! que se oye un trueno y ¡zúmbale! que se deja venir el aguacerazo y ¡charros! que cae también granizo. Y mientras las viejas se enrebozaban y los tipos se enjaretaban los sombrerones ¡rájales! que la lluvia y la granizada desmadran los techitos de palma y ¡zácatelas! que la Virgen comienza a despintarse.

Se me enchinó el cuero. Pensé: "Me lleva la chingada. Ya le salieron las liendres a la leona. Ya se acabó la fiestecita". Lice la promesa a la Santísima Virgen de Guadalupe de que si me sacaba con vida de la que siba a armar, yo iría desde la glorieta de Peralvillo hasta el altar mayor de la Basílica de rodillas y con una penca desangrándome la espalda.

La gente se quedó de a seis al ver cómo escurrían los colores del tronco y sólo iba quedando el bulto tallado a navajazos por Lorenzo. Todo en menos de un minuto ¡palabra! Los hielazos como huevos de codorniz me pespunteaban en la chiluca. Entonces me dije pa mis adentros: "Mejor vas ahuecando el ala, Anselmo. Esto se va a poner del cocol. Más vale que digan aquí corrió que aquí murió".

Aproveché que todos estaban apendejados sin creer lo que veyían, como si fuera el fin del mundo ¡palabra!; corrí a la casa grande, busqué por todas partes a Aurorita. Quién sabe dónde carajos se había metido. Como no vi a nadie, me embolsé la pistolóuer que Lorenzo guardaba en el escritorio, abrí la caja fuerte –bien que me había licado la combinación sin que ellos se dieran cuenta– y ¡no faltaba más! agarré el dinero. El güey de Lorenzo, sin querer, me había hecho el favorzaso de cambiarlo en puro billete grande y, por si las moscas, meterlo en bolsas de lona.

Escuché el griterío enmedio del tormentón, el chubasco y la granizada que sonaba como ametralladora. Y entonces que me voy con mis costales retacados de harta lana hasta donde los fieles dejaban sus monturas y que me trepo a un cuaco y que salgo hecho la mocha con un cus-cus que de milagro no me zurré en los calzones. Fue un milagro del cielo el que pudiera pelarme casi en las narices de los que habíamos pendejeado. Si me echan mano no lo estaría contando, le aseguro.

–¿Cómo logró escapar?

–Toda la noche traquetié por montes y barrancos encabronados que me jodieron al caballo antes de lo debido. A mediodía el pobrecito dio el zapotazo. Al ver que ya siba a petatear saqué la matona, le dije: "No creas que es por la mala, mi hermano; te tengo ley, te debo la vida". Y le metí un plomazo en el coco pa que no sufriera ai tirado. Al fin y al cabo si no hubiera sido por el penco veloz que la Divina Providencia puso a mi alcance, todos los méndigos a los que habíamos estafado me dan por Detroit, me cortan los de abajo y hacen que me los coma crudelios y en su tinta.

Con un dolor muy perro en las que le conté, anduve camine y camine con mis tambaches llenos de marmaja, escondiéndome de quien se me atravesara en el camino. Al día siguiente vi con un suspiro el cerro pelón que está a la entrada de Santo

Domingo Cuixtlahuaca. Y entonces que me digo: "Con la ayuda de la Santísima Virgen y por purita suerte, otra vez ya chingastes, pinche Anselmo".

–Qué increíble. ¿Y luego?

–Esperé horas y horas, azorrillado entre los vagones de la estación, muerto de hambre y sed, hasta que tuve chance de colarme al tren de carga quiba rumbo a México. La mordida también hace milagros. Le unté la mano a un garrotero y me dejó meterme en un vagón lleno de aguacates. Otro billetito y se robó del botiquín alcohol y algodón pa que me adecentara, pues de tanto penar a cerro limpio yo parecía monstro de película.

–¿Y qué hizo al llegar a México?

–Me encerré varios meses, dizque enfermo, en un hotel ai cerca de la estación de Buenavista. No salí ni a la esquina. Mandé comprar los periódicos y supe que a Lorenzo lo mataron los ejidatarios que habían sido sus peones, encabezados por don Jesús, el viejales que me tuvo en su cantón.

Lorenzo llegó feliz en su flamante patas de hule. Tocó tres veces el claxon pa que yo y Aurorita saliéramos a recibirlo y nos presumiera de su rufo. Seguía lloviendo a jicarazos pero el pendejo ni siquiera se olió lo que estaba pasando ai atrasito de la casa grande, en la huerta. Sólo cuando oyó el rebumbio se le iluminó el cráneo. Metió reversa, dio vuelta en redondo y quiso pelarse. Pero no había modo de agarrar velocidá entre aquel lodazal y piedrerío.

El hijo de don Jesús, el que parecía tan tulatráis, resultó el más bravo. A chingadazos bajó del Packard a Lorenzo y entonces todos los calzonudos se le fueron encima con machetes, picos, palas y rastrillos. Le hicieron garras su coche nuevecito, le descubrieron todos los billetes que había cambiado y luego lo filetearon hasta hacerlo picadillo. A su fiambre, ya sin cabeza ni manos ni pipindonga, lo colgaron ¿dónde cree usté?: pues en el mismo árbol del paraíso. Ultimadamente

¡pobre cuate! Si no hubiera sido por él a mí no se me ocurre nunca el negocio.

No me lo va a creyer pero palabra de honor que igualito decía el periódico: apenas dejaron a Lorenzo hecho puré y colgado de las patas como tlacuache, cayó un rayo en el árbol. La indiada se asustó y don Jesús gritó que era una venganza del Cielo por el santilegio: el Señor exigía más sangre pa vengar la ofensa hecha a su Madrecita.

Entonces se fueron a buscarme y a buscar los tostones. Cuando van viendo que en la caja fuerte ya no había centavos –los fierros que ellos mismos juntaron con tanto trabajo y dieron con tan buena voluntad– ¡jijos! pa qué le cuento. Eso fue la puntilla. Tan devotos que estaban y tan encabronadísimos que se pusieron: incendiaron la casa grande y acabaron con todo lo que tenían enfrente.

–¿Y Aurorita?

–Enmedio de aquel desmoche y desgarriate unas niñas la encontraron agazapada entre los maizales, temblando como un perro. El miedo la atarantó. Además la muy bruta no era del campo, no sabía montar a caballo ni esconderse en el monte.

Claro que pa mí fue una suerte no encontrarla, porque si no ni modo de correr como alma que lleva el diablo: Aurorita estaba empreñada y bien que me hubieran dado matarile. Y si me salvo, a güevo hubiera tenido que cargar con ella. Y entonces ¿qué carajos hacía con Aurorita y mi chamaco? Ni madres de ponerla a putear de nuevo... Pobrecilla Aurorita, qué lástima, qué dolor, qué pena, cuánto lo siento, cómo me acuerdo de ella... Sin embargo, mi lema siempre ha sido: primero yo, después yo y siempre yo.

–Sí, sí pero ¿qué le hicieron?

–La muy bruta, al ver que le caían de a montón, creyó que podía rebajarlos como antes. Los insultó y les dijo: "Indios patarrajada". Cuando le aventaron la cabeza de Lorenzo, empezaron a apedrearla y empuñaron los machetes, Aurorita gritó, lloró, les pidió perdón de rodillas y prometió devolver hasta el último centavo. Qué liban a hacer caso. Los mismos que antes creyían mediosanta a la patroncita por ser la que primero vio a la Virgen, ora sólo buscaban desquitarse y le estaban poniendo una piedriza de padre y señor mío.

–Qué horror.

–El mismo hijo de don Jesús se asustó al verlos tan enchilados, agarró un cuaco y fue a dar el pitazo al destacamento de Cuextepec. Contaba el periódico que si no ha sido porque entraron los sardos con su caballada, se matan entre ellos mismos. Se calmó la trifulca gracias a que un teniente y sus juanes los dejaron sosiegos a culatazos. Los federales levantaron a Aurorita todavía con vida, pero desangrándose, ya sin ojos ni cara, un guiñapo la infeliz vieja, hecha polvo por la bala fría. El veterinario del cuartel –único doctorcito a la mano– lizo la lucha. Pero Aurorita se les difuntió ai mero en la milpa.

–Espantoso. ¿Y se enteraron de que usted se había llevado todo el dinero?

–¡Hombre!, quién más, ni modo que hubieran tantos chingones. Don Jesús, su hijo y mis otros cuates juraron por la Santísima Virgen que miban a buscar por cielo y tierra y cuando me encontraran me machacarían los tompiates con molcajete y me despellejarían vivo y me pondrían sal y chile por todas partes.

Pero se les cebó. Nací con reteharta suerte, verdá de Dios. A don Jesús y a su hijo los condenaron a la pena máxima por doble asesinato con agravantes, motín y daño en propiedad ajena. Los mandaron en la cuerda de las Islas Marías pero a medio camino, pum pum pum pum: les aplicaron la ley fuga. Murieron como conejos mis valedores que en paz descansen. Como los otros no tuvieron pa los jueces, los embotellaron a quién sabe cuántos años. ¿No le digo, señor? Habemos unos que chingamos al que se deja pero el pobre indio del campo es el que siempre paga los platos rotos.

—Y a usted ¿lo detuvieron en la capital?

—Nuncamente. También me la pelaron los muy jijos. La chota creyó lo que le había contado el carcamal: que me llamaba Ulalio Domínguez, era vendedor ambulante y sólo conocía los pueblos rabones del rumbo. Además, enseguida la autoridá le echó tierra al topillo pus, como siempre pasa, podía enredar gallones que volaban muy alto. Con decirle nomás que un gobernador se quedó con las tierras de Lorenzo y de los ejidatarios presos. La hacienda volvió al tamaño que tuvo en tiempos de don Porfirio. Después el rata le metió obras de irrigación y la vendió en quién sabe cuántos millones de dólares a unos gringos.

Mientras tanto, mi amigo, quién jodidos siba a imaginar que el más grande de todos los tracaleros andaba escondiéndose en la meritita Ciudá de México. Eso sí: dándome la buena vida con furcias de primerísima calidá, comilonas en buenos tragaderos, hotelones de lujo, tacuches caros y pura beberecua de la fina. Hasta que me chupé la última limosna y me quedé otra vez en la quinta chilla, en la más completa prángana.

—Qué bárbaro. ¿Y después?

—Bueno —concluyó Anselmo—, ai sí le toca decidir a usté. Ya le dije a lo macho cómo anduvo la cosa hace unos años. Ora volví a jugármela y, si me echa una mano, por Dios Santísimo que otra vez me hago rico y a usté le toca una buena tajada. Pero si le zacatea a la movida chueca, en este mismo instante se me larga, mi cuate. Porque esto de las apariciones es cuestión de purititos güevos, y hay que andarse con prisas porque el verano ya se está acabando.

No entenderías

■

A Margo Glantz

Al cruzar la calle me tomó de la mano. Sentí que estaba húmeda su palma. –Quiero jugar un rato en el parque –me dijo.

–No. Tenemos que regresar. Tu mamá nos espera. ¿Ves?, ya no hay nadie. Todos los niños se han dormido.

Cambió la señal. Los vehículos se precipitaron. Corrimos para alcanzar la acera del parque. El olor a gasolina quemada se disolvía en la frescura de la hierba y las frondas. Los restos de la lluvia se evaporaban o eran absorbidos por la tierra.

–¿Van a salir hongos?

–Tal vez para mañana ya habrán salido.

–¿Me traes a verlos?

–Sí pero tienes que acostarte pronto para que te levantes muy temprano.

Caminaba rápido y la niña tenía que esforzarse para avanzar a mi paso. En un momento se detuvo, alzó los ojos, me miró, cobró aliento y un poco avergonzada me preguntó:

–Papá ¿existen los duendes?

–Bueno, sólo en los cuentos.

–¿Y las brujas?

–Igual: sólo en los cuentos.

–No es cierto: he visto brujas en la tele y me dan mucho miedo.

–¿Por qué? En la televisión pasan cuentos y en ellos salen brujas para divertir a las niñas, no para que se asusten.

–¿Entonces no es verdad todo lo que sale en la tele?

–No, no todo. Es decir... ¿Cómo explicarte? No entenderías.

Oscureció. El firmamento estaba lleno de nubes plomizas. En los botes de basura se pudrían los desechos. Bajo el rumor lejano del tránsito se escuchaban caer gotas de lluvia escurridas de las ramas. El sendero que tomamos como atajo para llegar a la estación del metro atravesaba un claro entre las arboledas. A la distancia un reloj luminoso daba la hora, la temperatura y la fecha. Me llamó la atención ver que era el día 7 del séptimo mes de 1967. Otro día único que no volverá jamás, pensé.

En ese instante los gritos llegaron hasta nosotros. Diez o doce niños habían cercado a otro. De espaldas contra un árbol, los miraba temeroso pero no pedía auxilio ni piedad.

–¿Qué están haciendo?

–Peleando. Vámonos de aquí.

La presión de sus dedos fue como un reproche. Se había dado cuenta. Yo era responsable ante ella. A su vez la niña significaba para mí una coartada, una defensa contra el miedo y la culpa. Entonces se lanzaron contra él. En vez de huir quedamos inmóviles. Vi la cara oscura enrojecida por las manos blancas. Grité que se detuvieran. Sólo uno de ellos se volvió a mirarme y me despachó con un doble gesto de amenaza y desdén.

La niña observaba la escena sin parpadear. El muchacho se desplomó y ya en tierra lo patearon entre todos. Alguien lo puso de pie y los demás lo abofetearon de nuevo. Quise decirme: No intervengo por proteger a mi hija y porque nada podría contra ellos.

–Diles que no hagan eso.

–Vámonos. Apúrate.

Los otros se alejaron a todo correr y se dispersaron entre los árboles del parque. Tan insignificantes les parecimos que ni siquiera se molestaron en insultarnos. Sentí una abyecta liberación, tuve la esperanza de que la niña pudiera imaginarse que huían de mí.

Ya a salvo, nos acercamos. El muchacho golpeado se incorporó. Sangraba por las narices y la boca. Le dije: –Permítame ayudarlo. Lo llevaré...

Me vio sin responder. Se limpió la sangre con los puños de la camisa a cuadros. Le ofrecí un clínex. No hubo siquiera una negativa, sólo desprecio en sus ojos. Alcancé a percibir algo como un horror indefinible en la mirada de la niña. En ambos había una sensación de estafa: yo acababa de traicionar a los dos.

El muchacho nos volvió la espalda sin decir nada y se alejó arrastrando los pies sobre la tierra húmeda. Por un instante creí que iba a desplomarse. Pero siguió hasta perderse entre los árboles. La niña y yo nos miramos en silencio.

–Vámonos ya.

–¿Por qué le pegaron si él no les había hecho nada?

–Se pelearon, no sé.

–Ellos eran muchos. Son malos ¿verdad?

–No está bien lo que hicieron.

El parque me parecía interminable. Nunca íbamos a alcanzar la estación del metro, jamás regresaríamos a casa, la niña no cesaría de preguntarme ni yo de darle respuestas inútiles, las mismas que recibí a su edad.

–Entonces es bueno el niño al que le sacaron sangre los otros.

–Sí, es decir, no sé.

–¿O es malo también?

–No, los malos son los otros porque no se debe actuar así.

Al fin encontramos a un policía. Traté de explicarle lo que acababa de suceder. La niña intervino en mi ayuda y describió todo en pocas palabras y mucho mejor que yo.

–Es irremediable. Pasa a todas horas. Hizo bien en no entrometerse. Son peligrosos. Andan armados. Dicen que el parque es sólo para blancos y todo negro que entre en él pagará las consecuencias.

–No puede ser: todo el mundo tiene derecho a pasar por aquí.

–¿Lo dice en serio? Así habla alguna gente de este barrio.

Pero luego no acepta negros en sus casas ni deja que se sienten en sus bares.

Hizo una seña afectuosa para la niña y se alejó sin decir más. Sentí frío, cansancio, ganas de cerrar los ojos. Llegamos a la salida del parque. Tres jóvenes negros se cruzaron con nosotros. Nadie me había mirado nunca en esa forma. Vi las navajas de resorte y pensé que iban a atacarnos. Pasaron de largo y se internaron en la arboleda.

—¿Qué van hacer?

—A no dejar que les pase lo mismo que al otro.

—¿Por qué siempre tienen que estar peleando?

—No puedo explicártelo. Es muy difícil. No entenderías.

Me puse en cuclillas y le abotoné el abrigo. La estreché levemente, con ternura y con miedo. Entramos en la estación del metro. Nos envolvía un principio de niebla. El parque avanzaba sobre la ciudad. Todo iba a ser de nuevo selva.

Civilización y barbarie

A José Ricardo Chaves

El fuerte es un punto a mitad de la pradera. Hacia él convergen los apaches encabezados por Jerónimo. Al galope bajan de los montes y blanden fusiles, arcos, lanzas. Querido papá: Gracias por el regalo. Llegó justo el día de mi cumpleaños. Tardé una semana en contestarte porque fuimos movilizados y ahora estamos en plena selva. Me porté bien en mi bautismo de fuego. Recuerdo lo que me contabas de cuando luchaste contra los japoneses en Guadalcanal. De verdad es única la sensación de poder que te da el lanzallamas. Olson, un muchacho de Nebraska, lo considera un arma sucia. Quemar vivos a los otros –me dice– es algo que, como la tortura, deberíamos dejarles a los amarillos. Por mi parte, no me desagrada, todo lo contrario, achicharrar vietcongs. Dispositivos electrónicos, trancas, cerrojos: todo funcionaba. Esas puertas de hierro los detendrían. Ni con cañones los amotinados iban a entrar en mi casa. ¿Para qué iban a usarlos contra una persona decente, con un hijo luchando por la libertad en Vietnam? Todo el mundo me respetaba, yo era míster Waugh. Me acerqué al ventanal y desde el piso diecinueve observé una ciudad desconocida para quienes la miran desde los rascacielos más altos. Allí estaban todos los beneficios de la cercanía y todas las ventajas de la distancia. El centinela observa la polvareda y da el toque de alarma. El coronel sube a la estacada y enfoca sus prismáticos. Los apaches se acercan al fuerte para presentar su última batalla. Los soldados de uniforme azulmarino cargan sus armas y corren a sus puestos. Vamos a limpiar toda la zona. Los congs la han llenado de galerías subterráneas. Pisamos un terreno sembrado de trampas, pozos ocultos entre la maleza que tienen en el fondo puntas afiladas de bambú. No sé de dónde salen tantos *charlies*: matas cincuenta y al instante los reemplazan mil. Pese a todo, estoy seguro de que al concluir este 1967 lograremos el control absoluto. Papá, ustedes deben presionar para que Johnson nos autorice a destruir Norvietnam. Una cadena de bombardeos, una ofensiva terrestre y en dos semanas entramos en Hanoi. Sentí el placer de hundirme en el sillón de hulespuma forrado de terciopelo. Al echarlo a andar se dislocó para estimularme con un masaje que aceleró la circulación en todo mi cuerpo. Me gustaba la casa. Había anhelado tanto la seguridad que encontraba en ella. Envejecí en los años transcurridos desde el divorcio. Ya no tenía interés en lo que antes consideraba mis aventuras. Cada viernes llamaba por teléfono a una chica distinta. Era tan sencillo como arreglarse con otras mujeres para que limpiaran el apartamento. Dan vueltas en torno de la empalizada y arrojan las primeras flechas incendiarias. Nuestra superioridad humana y tecnológica es de verdad aplastante. No me explico en qué forma han podido resistir estos habitantes de la prehistoria. Papá, Vietnam no es ni será otra Corea. Tengo absoluta fe en nuestra victoria. Ni rusos ni chinos intervendrán jamás. Nadie quiere desatar la tercera guerra mundial porque todos resultarían destruidos. Regresé a la ventana. La multitud corría envuelta en nubes de gas. Sobrevolaban helicópteros. No había peligro para mí, estaba a salvo. Y nosotros cada vez tenemos mejores armas. ¿Has visto en televisión la bomba que esparce en varios metros a la redonda diez mil agujas que por todos lados tienen tanto filo como una hoja de afeitar? Las flechas caen en los cobertizos. Arde el depósito de pastura. Los apaches cargan de nuevo. Disparan sin frenar su galope. En lo alto de la empalizada se desploman varios soldados. Un helicóptero descendió entre las filas de rascacielos. No me explico por qué allá protestan contra nosotros si estamos arriesgando nuestras vidas a nombre de todos. Desmontan, trepan por la empalizada, la lucha cuerpo a cuerpo se generaliza dentro del fuerte. Arrojaron chorros de agua y balas de salva contra los amotinados. Los apaches abren el portón. Entra una oleada de jinetes. Arden las carretas de heno. Después te hablaré de mi experiencia en combate. Ahora debo ver al médico. Necesito dosis más poderosas. Nunca creí que en Saigón una putita de trece años pudiera estar tan infectada. Los defensores tienen que replegarse a la barraca central del fuerte. El ascensor se detuvo en mi piso. Escuché gritos, pisadas, golpes a la puerta. Tony Waugh atravesó el campamento rumbo a la enfermería. No hay calor como el que produce la humedad del río Mekong. Al terminarse las balas los soldados empuñan los sables. Tomé la ametralladora y disparé contra la puerta. Se escucha el clarín del Séptimo de Caballería. Los apaches huyen del fuerte. Los defensores se han salvado. La hojarasca cedió bajo sus pies. Tony Waugh se hundió con un grito en las puntas de bambú que erizaban la trampa. Antes de asomarme a ver qué había ocurrido intenté apagar el televisor. Era ya tarde: los apaches salían de la pantalla y arrasaban con todo. La ametralladora se deslizó de mis manos y sentí que me destrozaban los cascos sin herradura.

Algo en la oscuridad

A Neus Espresate

PRIMER ACTO

Los anteriores ocupantes tuvieron que abandonar apresuradamente la casa. Hallamos un teléfono arrancado de cuajo, ropa esparcida, muebles en desorden, cartas, papeles privados, alimentos a medio consumir ya cubiertos de moho. Aunque no encontramos huellas de gatos ni de perros, había un cobertizo de madera en el traspatio.

Todo lo desnaturalizamos al reordenarlo. Basta poner más a la izquierda una silla para que un cuarto ya no sea el mismo.

Teníamos prisa por cambiarnos y era tan grave la crisis de alojamiento por la explosión fabril en la zona que en cuanto firmamos el contrato sólo pedimos que la inmobiliaria nos entregara la llave. No preguntamos por el rumbo ni por los antiguos inquilinos. A ellos, por lo visto, les tenía sin cuidado el juicio de quienes iban a reemplazarlos. Dejarlo todo en esas condiciones era muestra de una total despreocupación o una urgencia absoluta.

–Piensan regresar –dijo Ester.

–No lo creo. Alquilamos la casa por un año. Es mucho tiempo.

–Preguntemos a los vecinos.

–Somos recién llegados. La indiscresión nos crearía mala fama.

–Déjalo por mi cuenta. Buscaré una oportunidad sin forzarla... Oye, ¿qué tal si leemos los cuadernos, las cartas?

–No me parece bien: ¿Te gustaría que te lo hicieran?

–No, desde luego; pero no aguanto la curiosidad.

–Yo tampoco.

Fui a buscar los documentos y los leímos en voz alta. Eran cartas familiares, asuntos de trabajo, recortes, fotos, vestigios sin sentido alguno para extraños como nosotros.

–No me explico por qué no se llevaron estas cosas –dijo Ester–. A nadie le agrada ser observado en lo más íntimo.

–Parecería que no se fueron de aquí por su voluntad: alguien, algo, los obligó a salir sin darles tiempo de mirar atrás.

–¿Qué habrá sido?

–Tarde o temprano lo sabremos.

Me levanté a las cinco de la mañana, entreabrí la cortina y miré la fila de casas frente a la nuestra. Habían apagado todas las luces. La calle estaba envuelta en el resplandor de una luna metálica que irrealizaba el escenario. Sentí miedo ante aquel silencio. Nada se movía, ni el viento, ni una sombra, ni la hoja de un árbol. Yo era el único intruso en un planeta lívido y como desangrado de todas las materias terrestres.

No quise despertar a Ester. Tal vez hablar aquella noche nos hubiera salvado. Crecí en un medio donde no se podía ser cobarde y me acostumbré a enfrentar los desafíos. Aquello era otra cosa, algo que sólo había sentido durante la guerra cuando atravesamos un pueblo bombardeado en donde todos los habitantes se hallaban muertos.

Pasé el día en la fábrica. No me sentí mal. A fin de cuentas yo era un experto y resultaba útil para ellos. Al regresar encontré a Ester muy inquieta. Hablamos de generalidades y se negó a contarme qué había ocurrido. Ya en nuestro cuarto encendí el televisor. Rechazamos una pelea de box –siempre lo he detestado– y elegimos una vieja película acerca de un matrimonio que llega a habitar una casa de campo inglesa atestada de espectros. La mujer misma que les muestra el cottage es un fantasma.

Intenté ironizar sobre lo que veíamos. Ester se dio cuenta de que con ello sólo expresaba mis temores. Me pidió: –Apaga el televisor–. Obedecerla significaba aceptar el miedo absurdo. Le contesté que estaba interesado por la trama y acabaría de ver la película. –Como quieras –me dijo, se dio la vuelta y se ocultó entre las sábanas.

Intenté leer un libro de mi especialidad. Sin embargo, no lograba apartarme de la historia. Terminó con un grito de la mujer al darse cuenta de que también su esposo era un aparecido. Me dormí, desperté muy tarde y apenas pude llegar a tiempo a la fábrica.

Al acabar la cena, mientras la ayudaba a recoger los platos, Ester me dijo abruptamente:

–Vámonos de aquí.

–Imposible. Acabamos de llegar. Tenemos que aclimatarnos. En ninguna parte me darían un trabajo igual.

–No me gusta este sitio. Me aterra quedarme sola en la casa.

–Ya te acostumbrarás. Los primeros días siempre son difíciles.

–Todo se me hace tan extraño: el pueblo, los objetos abandonados, la gente...

–¿Has hablado con alguien?

–Crucé algunas palabras con la señora de la tienda... Me recomendó: "Es mejor que se vayan".

–¿Por qué?

–No dio razones. Supone que las sabemos perfectamente.

–Mira, no ignorábamos que iban a presentarse dificultades. Lo único que podemos hacer es despreocuparnos y dejar que las cosas sigan su marcha.

Pasamos un mes tranquilo. Poco a poco Ester se adaptaba a las circunstancias, el trabajo me satisfacía y el vecindario no daba señales de vida. A veces salíamos a caminar por el pueblo sin acercarnos mucho a las ventanas. Sin embargo alcanzábamos a ver las salas, siempre en penumbra sólo interrumpida por el brillo de la televisión. En ocasiones un rostro furtivo apartaba las cortinas para observarnos. Eso era todo.

Un sábado por la noche me disponía a lavarme los dientes cuando escuché un maullido que a la vez era un aullido. Pensé: "Ha vuelto el gato de los antiguos inquilinos". Mi primer impulso fue abrirle la puerta. Me contuve: Ester se encariñaría con él y no iba a permitirme que lo ahuyentara. Allí estaba el último regalo indeseable que nos dejaron los anteriores ocupantes. Creí que el gato acabaría por irse. Ester oyó también el sonido mixto y suplicó: –Déjalo entrar.

–No: se quedaría para siempre.

–Mañana lo echamos.

–Si los vecinos se dan cuenta te acusarán ante la policía de maltrato a los animales.

–Entonces, si lo dejamos a la intemperie en esta noche helada, ya no serán indiferentes: se volverán hostiles.

–Hay mucho viento. No creo que escuchen los maullidos.

–¿Cuáles maullidos? Es un perro. ¿No lo oyes quejarse? Vamos a darle agua y comida. Después te lo llevas en el coche y lo abandonas cerca de la fábrica.

–No, no: regresará como ha vuelto ahora... Discúlpame pero me niego a abrirle la puerta.

–Bueno, como quieras. Ya es muy tarde. Vamos a dormir.

Cerré los ojos, intenté convencerme de que tenía sueño. El ladrido/maullido continuaba, imperioso, inflexible. Ester, sin hallar acomodo, se revolvía entre las mantas. Aguantamos cerca de una hora sin romper el acuerdo tácito de no decir una palabra. No obstante, el animal seguía imponiendo su presencia, exigiendo su derecho de entrada.

Lo escuché en el alféizar. Un gato bien pudo haber trepado en busca de una ventana; un perro no. El animal se había convertido en una obsesión. Tuve miedo y no quise aceptarlo. Cerré los ojos. Entonces me sobresaltó el grito de Ester:

–Aquí está: debajo de la cama. Lo he tocado.

Me incorporé de un salto, encendí la luz. Buscamos por todo el cuarto sin hallar nada. Se había hecho el silencio. Miré a Ester con un gesto de triunfo. En ese instante resonó más fuerte el maullido/ladrido. Salimos al corredor. Nos estremeció descubrir en el marco de la ventana la sombra arqueada y erizada de un perro-lobo con cabeza de gato. Ester se aferró a mí. Entrevimos la pelambre rojiza. Todas las luces se apagaron.

Lo que siguió fue la oscuridad, mi intento de expulsar aquello que había dejado de ser un animal, el olor a muerte y a cripta del ente que al abrirse paso nos contaminaba de húmeda podredumbre, el sonido fangoso de sus patas en la escalera, el odio en los ojos resplandecientes y encontrados cuando salió por la puerta y volvió la mirada, el viento oscuro que al entrar en nosotros empujaba la casa hacia las tinieblas.

SEGUNDO ACTO

La casa

Igual a otras cuarenta alineadas en la calle. Construida a base de frágiles materiales ensamblados en pocas horas, hecha para ser indistinta y no perdurar, tiene un carácter abierto, aéreo, cristalino. En realidad, las facilidades otorgadas a la luz las ejercen vecinos y transeúntes que observan a toda hora cuanto ocurre en el interior.

El sol brilla por su ausencia en este bosque de pinos situado en lo más alto de las montañas. Aquí las persianas se consideran un sacrilegio. Nuestro culto solar florece como nostalgia a lo largo del año; como ceremonia tribal ciertos días del verano y algunas horas imprevistas en los períodos fuera de estación.

El interior

Sus alfombras dan a la pisada una ingravidez y una seguridad que hacen de la casa un lugar íntimo, asociado con las nociones de rango y poder. Cuando menos, el poder de abandonar las viviendas de mosaicos o duelas apolilladas que amenazan desplome. En la sala un calefactor eléctrico evita las molestias de acarrear leña y mantenerla encendida y concede la ficción de maderas ardientes, calcinaciones grises y encarnadas.

El traspatio

Una muchedumbre de gorriones baja de los árboles en busca de migajas y desperdicios. A veces se entablan riñas feroces entre ellos. Los cuervos descienden y reemprenden el vuelo con trozos que no caben en el pico de los gorriones. Ante ellos sus enemigos forman un círculo resignado. Un cuervo amaga a los que se rebelan e intentan disputar la comida. Entonces la bandada de gorriones se asila en las más altas ramas. Los cuervos sólo temen a los perros que, hartos de alimento enlatado, hurgan en los botes de basura y roen los huesos. Hasta los perros de menor tamaño y aspecto inofensivo aprendieron de los gatos la habilidad de capturar gorriones. Tampoco ellos matan por hambre: dejan el cadáver entre la hierba una vez que la trituración los ha reconciliado con su instinto. Han sido fieras en épocas remotas; ahora pagan en tedio y humillación el precio de la seguridad. Nunca se encuentran perros callejeros. Si nadie los adopta la comunidad los extermina. No queremos ver contagiados de rabia y rebeldía a nuestros animales. Apareamos a los ejemplares de raza en lugares precisos. Neutralizamos a los demás al poco tiempo de nacidos. La gente viene a buscar la paz que es ya imposible en las ciudades. No admitimos escándalos ni excesos.

Los habitantes

No los hemos visto de frente. Aquí hablamos muy poco. Rehuimos el saludo y procuramos no cruzarnos en el camino de los demás. Por lo que vislumbramos cuando pasan cerca de nuestras ventanas, él ha de tener unos treinta y cinco años y ella cerca de veintisiete. El hombre trabaja en una industria cercana, no en la gran fábrica de armas donde la mayoría prestamos nuestros servicios. La mujer permanece todo el tiempo en la casa (¿tramará algo en contra nuestra?), la única sin antena de televisión. Quizá tengan un receptor portátil o sean tan imbéciles como para satisfacerse con la asquerosa música que escuchan. Lo hacen siempre a bajo volumen pues, se adivina, no quieren incomodarnos. Los rasgos que distinguen al vecindario son la hosquedad, la reticencia, la envidia atemperada por el desprecio mutuo que a veces se disfraza de cortesía. Sin embargo, todo recién llegado ofrece tributos y primicias: un pastel, un plato regional, un juguete para los niños, una botella de whisky. Ellos no: desde un principio se aislaron. En vez de implorarnos perdón por invadir nuestros dominios nos ofendieron. La codicia de la agencia inmobiliaria de nuevo la ha inducido a mandarnos personas detestables. Ninguna afrenta puede quedar sin castigo.

El móvil

Nuestro orgullo son los prados. Vigilamos su crecimiento, alimentamos con abonos sus raíces, sustituimos las podadoras mecánicas por los nuevos modelos. Guiarlas es nuestro placer y nuestro descanso. El domingo por la mañana y algunas tardes soleadas el aire se llena con el rumor de nuestras máquinas eléctricas. Tenemos reglas muy precisas. Quien exceda en algunos milímetros la marca establecida sufrirá el rigor de nuestras leyes. Los habitantes no debieron hacernos esta ofensa.

Como si sus actos anteriores no fueran ya agresiones a la buena voluntad de que siempre hemos dado muestra, violaron la cláusula más importante del contrato, dejaron crecer el césped frente a su casa, rompieron la armonía del conjunto, trajeron a nuestro refugio la suciedad del trópico, la incuria de los países atrasados, el salvajismo que amenaza a nuestras creencias ancestrales. Como sólo nos reunimos durante los solsticios, esta vez no hubo deliberación. Los ecos del templo triangular no repitieron las palabras de ira. Bastó con que en la fábrica intercambiáramos monosílabos y al encontrarnos en la calle señaláramos con un leve desvío de la mano el pasto indómito. Un movimiento de cabeza fue la señal que condenó a los habitantes y ratificó el acuerdo profundo entre nosotros. Somos magnánimos. Hemos desterrado de nuestros corazones el odio. La cruz no arderá en la noche de las colinas. Pensamos que bastaría una amonestación o una carta enérgica o que alguien –sin temor al contagio– se acercara a prestarles una podadora mecánica de las que se oxidan en los desvanes. Con la bondad que lo caracteriza nuestro sumo sacerdote disculpó a los habitantes: provienen de esos horribles bloques de concreto en que se hacinan por millares los seres como ellos; jamás tuvieron casas como las nuestras e ignoran por completo la obligación de cortar la hierba y mantenerla a la debida altura. De no haberse interpuesto la ceremonia, alguno de estos recursos hubiera bastado para ahuyentarlos sin necesidad de medidas radicales.

La ceremonia

Fue vista con horror y a distancia por quienes nos levantamos temprano aquel domingo. La atribuimos a un culto relacionado con el vudú. Ambos salieron al traspatio. De la casita que en otro tiempo fue del perro sacaron una gallina. Aquí los testimonios no coinciden: para algunos era de color leonado, para otros de plumaje cenizo, y hay quienes afirman que era blanca: una gallina Legorn. Él y ella discutieron. Parecían demorar cruelmente el principio de la tortura. Al fin la mujer retrocedió unos pasos. Con un gesto que debe de tener significado en la liturgia de su secta, observó cómo su marido le rompía el cuello al animal mediante una torsión que nos pareció insoportable. El hombre dejó caer a la gallina. El ave tuvo fuerzas para dar unos pasos. Entonces su verdugo repitió el tormento. Esta vez la gallina emitió sonidos agónicos, giró en redondo y esparció plumas hasta que el movimiento se redujo a estertores. Quizá aún vivía cuando la llevaron al interior, acaso para seguir torturándola. La ceremonia provocó nuestra impotente furia. Aunque nunca lo hacemos y aquí la vida social se reduce al saludo y el comentario acerca del clima, aquel domingo nos llamamos por teléfono para hablar de lo sucedido. Como en el asunto del prado, hubo unanimidad: tal conducta era inadmisible, los habitantes merecían un castigo. Somos, es cierto, fabricantes de armas que alejan el peligro de guerra y mantienen bajo relativo control a la población de los países inferiores. Pero no toleramos la crueldad y menos la crueldad contra los animales. Desde luego, comemos pollos limpiamente ejecutados en la fábrica que procesa más de diez mil cada día. Si por rarísima excepción alguien decide criar sus propios animales o comprarlos en una que otra granja sobreviviente, nuestros hogares se hallan provistos de hachas para decapitar a las aves de un solo tajo. En ocasiones la gallina sin cabeza intenta una cómica fuga. Por regla general se deja colgar patas arriba hasta desangrarse. Con esta práctica evitamos la repugnante ceremonia con que nos ofendieron los habitantes.

nadie oyó ni vio nada. El pueblo estaba desierto. Hubo reunión en las colinas. Tenemos prohibido hablar de la asamblea nocturna.

El desenlace

Ese hombre y esa mujer terminaban de desayunar cuando escucharon ruido de máquinas en la calle. Tal vez, creyeron, iban a reparar el pavimento. Hubo rumor de palas y gritos de una cuadrilla que arrancaba el pasto con todo y tierra. Ella le reclamó que no se hubiera ocupado del césped y su negligencia acarreara esa orden oficial a la que seguiría una multa por descuido. Él tuvo la arrogancia de contestar: –La pagaré con tal de no tener que cortarlo–. Subió las escaleras, entró en el baño y comenzó a afeitarse. Ella siguió lavando los platos en la cocina. Ambos trataban de no pensar en lo que pasaba ni reconocer que tenían miedo. Por último la mujer subió a decirle: –Debes protestar. Si al menos nos hubieran avisado...– Él, sin dejar de afeitarse, contestó: –Esperaré que toquen a la puerta–. En el traspatio se escuchó el aullido/ladrido. Respondieron los perros; cuervos y gorriones se posaron en los árboles. Se estremeció toda la casa. Volaron esquirlas de madera y pintura. Por la ventana los habitantes alcanzaron a distinguir la pala dentada de un trascavo. Salieron a la puerta. La casa se desplomó a sus espaldas. Uno de los guardias que acababan de arrancar la hierba se lanzó sobre la mujer y le desgarró la bata de nailon. Ella lo rechazó. Su marido derribó de un golpe a nuestro lacayo. Era lo que esperaban los demás para acometerlos. Mientras terminaban de destazarlos, y perros, cuervos y gorriones se iban aproximando al escenario, nosotros contemplábamos todo aquello en silencio. Una vez más y para siempre nuestro pueblo había quedado libre de intrusos.

Jericó

___
■

A Pedro Lastra

H avanza por un camino del otoño. El mediodía parece arder, las nubes se forman y se deshacen. En un claro del bosque encuentra un sitio no alcanzado por la sequía. Observa el cielo, se tiende en ese manto de frescura, prende un cigarro y escucha resonar el viento en las frondas.

Nada interrumpe la serenidad, el orden se ha adueñado del mundo. H baja la vista y descubre entre la hierba una caravana de hormigas que transportan los restos de una araña. Otras conducen briznas, fragmentos de hojas o semillas minúsculas, se acercan a las demás y entrechocan sus antenas en algo que parece trasmisión de órdenes o intercambio de noticias. La mayoría acopia miligramos de arena para levantar tenues murallas a la entrada de la ciudad subterránea.

H admira la disciplina, la unidad del esfuerzo, la energía solidaria. Quizá las esclavas comenzaron su viaje en tiempos inmemoriales, tal vez acaban de emprenderlo. Absortas en su afán, las hormigas no tratan de causarle el menor daño. Pero H no resiste el impulso de tomar una y triturarla entre los dedos. Luego, con la brasa del cigarro provoca la desbandada.

Las hormigas sueltan su presa y rompen filas. H calcina a las que intentan ocultarse. Hay un sombrío placer en exterminar a quienes no oponen resistencia. H se ha vuelto omnipotente. Un pueblo entero sucumbe al frenesí de la destrucción.

Cuando no queda hormiga viva en la superficie, H excava en pos de galerías secretas, salas, talleres, bodegas, prisiones. Es inútil hurgar la tierra mancillada: los pasadizos se han disuelto, H jamás profanará los misterios. Antes de levantarse, junta la hierba seca y prende fuego a las ruinas. El aire se impregna de un olor extraño.

Media hora después H llega a las montañas que dominan la capital. De pie en los acantilados ve por un instante el terror, el caos, las llamas que arrasan la ciudad, los edificios desplomados, el aire letal que todo lo devora mientras el hongo de humo y escombros se eleva hacia el sol fijo en el espacio.

Índice

Fotocomposición: Alfavit
Impresión: Programas Educativos, S. A. de C. V.
Calz. Chabacano 65-A, 06850 México, D. F. Empresa certificada por el Instituto
Mexicano de Normalización y Certificación, A. C., bajo la norma ISO-9002: 1994/NMX-
CC-04: 1995 con el número de registro RSC-048, e ISO-14001: 1996/NMX-SAA-001:
1998 IMNC con el número de registro RSAA-003.
17-IX-2005

José Emilio Pacheco
en Biblioteca Era

Poesía completa

Los elementos de la noche
El reposo del fuego
No me preguntes cómo pasa el tiempo
Irás y no volverás
Islas a la deriva
Desde entonces
Los trabajos del mar
Miro la tierra
Ciudad de la memoria
El silencio de la luna
Álbum de zoología
La arena errante
Siglo pasado (desenlace)
La fábula del tiempo (antología)

Narrativa

El viento distante
Las batallas en el desierto
La sangre de Medusa y otros cuentos marginales
El principio del placer
Morirás lejos

Traducción de poesía

Aproximaciones

Antologías

Gota de lluvia y otros poemas para niños y jóvenes
La fábula del tiempo. Antología